“经营之圣”稻盛和夫《活法》书系之四

活法 肆

人生と経営の法則

人生与经营的法则

[日] 稻盛和夫（Kazuo Inamori）著
喻海翔 译　曹岫云 审校

人民东方出版传媒
People's Oriental Publishing & Media
東方出版社
The Oriental Press

自 序

我与致知出版社的藤尾秀昭社长结交甚久，一直就对他对于出版事业的坚定信念敬服。长年以来，藤尾社长不辞辛劳，以解读为人之道为宗旨，一手将月刊《致知》这本优秀的启蒙杂志创办了起来。

并且，藤尾社长也是由我主办的年轻经营者的经营学校“盛和塾”的学员。他对于盛和塾的学习非常认真，每当我看到他积极参加盛和塾的例会，全神贯注地倾听我教授和讲解经营哲学和经营理论的身影时，总是由衷地感到钦佩。

此次恰逢《致知》月刊创刊20周年，我收到了他的请求：“为了纪念创刊20周年，出版社希望出版相关书籍，期盼能够得到稻盛先生的支持和协助。”尽管我也是事务非常繁忙，但是一想到“这份邀请来自于我所敬爱的藤尾先生，那么一定要帮这个忙”，于是就同意了本书的出版。

在编辑整理本书时，我竭尽所能地想要将自己人生的全貌真实地展现给读者。

在本书中，我尽可能地以通俗易懂的笔法解释了诸如“我是如何达到了今天的这种境界”、“我的理念有哪些”、“我为何会拥有这些理念”、“在剩下的人生道路上，我将要如何度过”等主题，并且还结合具体事例讲述了自己的青少年时代和京瓷创业初期的故事，以及京都奖、盛和塾等我近年来主要参与的各类活动。因此，书中的一部分内容与我近年的演讲和著作内容会有所重复，但目的是能够做到完整地向读者介绍我迄今为止的“人生与经营”体验，希望能够得到读者的谅解。

本书所展示的我本人的人生观、宗教观以及世界观如果能够对于那些想要真诚地度过自己一生的人有所帮助，那么我将会感到非常荣幸。

此外，在这本书的出版过程当中，我得到了致知出版社社长藤尾秀昭、书籍编辑部的柳泽玛丽子、白井晓以及京瓷株式会社秘书室长大田嘉仁、秘书粕谷昌志的大力协助，在此我要向他们表示衷心的感谢。

稻盛和夫

平成十年（1998 年）盛夏

目 录
contents

第一章　我的人生轨迹 001

第一节　一封读者来信引起的回忆 003

一位工会负责人的报纸投稿 003

进入松风工业的前后经过 009

全力投身于研究开发工作 013

让员工彻底明了工作的意义 018

颁布禁止加班令 021

毅然违反企业员工总罢工的决定 023

遭到公开批斗 027

第二节　作为经营者的起航 031
拥有“philosophy” 031
辞去松风工业的工作 036
创建京都陶瓷 044
确立经营理念 046

第二章　我的人生观与思想源头 053
第一节　我的成长过程与我的父母 055
被人讥笑为“爱哭虫”的幼年时代 055
作为“孩子王”的少年时代 057
对不公正的反抗 061
父亲对于我的正义给予理解 065
自以为是厄运不断的人生 068
我的第一份工作 072
我的父母 074

第二节　西乡隆盛与大久保利通 080
西乡隆盛与庄内藩 080
《南洲翁遗训》所展示的无私胸怀 086
向大久保利通学习 095

第三章　为什么哲学对于经营必不可少 101
基于原理原则进行判断 103
人生与事业的方程式 107
逐利有道 109
内村鉴三的《代表性的日本人》所展示的寓意 111
探求人的本质 117
个人的才能应为世间和人类服务 121
梦想必定能够实现 124
善念召唤幸运 127
用理性驾驭我们的本能、感情和感觉 129

构成心的四个世界 134
关键在于为人的基本原则 138
上天的眷顾 140

第四章　追求人间正道 145

第一节　65 岁时的决断 147
接受胃癌手术..147
正式出家 150
做好迎接死亡的准备 152
努力净化心灵..154
发掘人生的真正目的——我的出家仪式 156
获得信仰 161
托钵修行 162
接受喜舍 164
第二节　努力践行“利他”之心 167

彰显伟人——京都奖创设与发展……167
培养年轻企业经营者——盛和塾的开设与发展……172
以体谅之心探讨国际关系——举办日美21世纪委员会……176
第三节　我的一些思考以及为人之道……186
抛弃了自律的日本人……186
探寻心灵——路人与虎……189
奉行六项精进……194
每时每刻都追求灵魂的净化……199

结　语……205

第一章　我的人生轨迹

第一节　一封读者来信引起的回忆

一位工会负责人的报纸投稿

这还是一件发生在去年（1998年）的事情，新年的一大早，我像往常一样打开各家报纸浏览，目光不禁停留在了《京都新闻》登载的一封写给我本人的读者来信上。

期待宗教界也出现新气象

长冈京市　菊池博（公司法人代表，69岁）

京瓷集团稻盛董事长：

不知道稻盛先生您是否还记得，我们曾经在您大学毕业之后工作的第一家公司共事过。到现在我还依然经常和别人聊起您当年在公司研究所工作时的情景。那时我曾目睹您为了开发新产品，在没有加班工资的情况下依然彻夜工作。您曾经因为想要辞职而来咨询过当时担任公司工会主席的我。尽管当时我曾经试图劝留过您，但是您最终回答道："如果再在这个公司这么一直待下去，会无法实现自己的理想。就算遇到再多挫折磨难，我也还是要去寻找自己的一片新天地。"于是您最终离开了当时的那家公司，创办了京瓷，并使其发展壮大至今。

前阵子，我在电视上看到了您参加的NHK《新春对谈》节目。在节目里您直言道："经营者不能仅仅只追求自身的利益，还应当追求全社会的利益。"想必会有许多人对您的这句话产生共鸣，并且同时您还坦露：等满了65岁，您就准备入佛门修行。

今年我依然与25个旧同事互换了新年贺卡，这都是源于当年我们曾经共事于同一家公司所结下的缘分。不管是您过去的旧同事，还是日本的广大民众，大家都盼望您能够发挥像以前的"商界隐侠高僧——土光敏夫”（日本著名企业家，曾经担任过石川岛播磨重工业公司造船厂和东芝总裁、日本经济团体联合会会长等职务，对于日本战后的经济界和政界曾经产生过巨大的影响。——译者注）那样的作用。衷心期待今后您依然能够斗志昂扬。不仅是在商界，同样也能够给宗教界带来新气象。

因为我从未料到报纸上会登载寄给我的读者来信，因此当我看到“京瓷集团稻盛董事长”这几个字时，心中不由得感到有些愕然。但是在阅读这封信时，我的脑海中不禁浮现起当年只有20多岁的我与时任工会主席的菊池先生之间发生激烈冲突的情景，以及在遭遇重重困难的同时，奋力创建京瓷的那些日日夜夜。尽管40多年已经过去，但是能够在报纸上读到这样一封洋溢着温情和鼓励的来信，仍然让我感到满心宽慰，同时也勾起了我对于往昔的一幕幕回忆。

正如这封读者来信所言，我在大学毕业之后最初就职的公司叫“松风工业”，位于京都，以生产销售绝缘瓷瓶为主。我在这家公司从事了4年左右的新产品研究开发工作，后来由于感觉到在这家公司里自己的能力无法得到充分发挥，最终选择了辞职。在辞职后的第二年，我和那些向我提供了无数支持的伙伴共同创建了京瓷的前身——“京都陶瓷”。自那时起，在将近40年的岁月里，我一刻都未曾松懈地努力工作至今。

从很久以前开始，我就打算到了60岁，等有了空闲时就潜心学佛，修炼心性。然而由于企业与公司运营上的诸多耽搁，一直到去年（1998年）65岁的时候，我才终于从企业管理的岗位上退了下来。

尽管京瓷公司内部，以及我身边的人都早已知道我的这个计划，可是一直到前年（1997年）9月，在京都商工会议所的例行记者会上，我在回答记者的提问时，才得到机会把这个决定公之于众。第二天，各大报纸都登载了我的发言，我立刻就收到了许多对这个消息感到意外的人士的来信。然而我从未想过会在报纸上读到像菊池先生这样的、仅仅一起共事过极其短暂的时间、有将近40年再也没有联络过的旧同事的来信。

我在深感意外的同时，立刻就提笔回了一封信，并且同样也登载在《京都新闻》的读者投稿栏上。

向令人怀念的旧同事给予的鼓励表示感谢

菊池博先生：

拜读了1月16日本栏登载的您寄给我的来信，回想起与菊池先生一起共事的一幕幕场景，我心中不由得思绪万千。作为曾经共同在一家环境苛酷的公司里，同甘共苦、一起共事的伙伴，今天回想起来依旧是感慨无量。尽管我们共事的时间并不长，但是却依然能够从当年旧同事那里收到如此温暖的鼓励，对于我本人而言，实在是感到无比的荣幸。

正如您已经知道的，我即将于今年夏天进入佛门，专心修行，在一个全新的世界中，努力修习，并为世间还有大众做出自己的贡献。今后，我依然衷心希望能够得到您善意且严格的指教与鞭策。

诚挚地祝愿菊池先生身体健康、事业隆盛。

伏见区　稻盛和夫（公司主管，65岁）

（注：这一封信登载于1998年2月20日的报纸上）

在我写这一封回信时，40 年前的那些情景历历在目。当这位菊池先生担任松风工业的员工工会主席时，我正没日没夜地全身心投入到新型陶瓷的研发工作中。由于我当时一心付出，对于工作不讲任何条件，并且也不向公司要求加班工资，对于工会而言，我是一个不受欢迎的存在。事实上，在我的记忆中，我与工会之间的冲突几乎就没有中断过。

现在回想起来，尽管当时我也不是非常明确，但是却已经具备了独自的判断标准，我是一个不愿轻易做出妥协，总是喜欢根据自己的信念采取行动的人。而我当时的判断标准也没什么了不起，都是自小从父母与长辈那里学到的诸如哪些事情可以做，哪些事情不可以做之类的非常朴素简单的做人规范而已。然而正是因为我的判断标准都是基于这样的为人处世所需要的最基本准则，因此要我做出与之相逆的事情绝难办到，这也正是导致我处处遭受排挤的重要根源。

进入松风工业的前后经过

1955年，我进入了刚才提到的位于京都、生产绝缘体的松风工业工作。在我读大学的时候，日本经济正处于朝鲜战争所引发的“特需景气”的最盛期。可是在我要开始找工作时，这场景气却刚好结束，日本经济跌入谷底。当时整个日本社会都处于就业异常困难的时代。

更要特别指出的是，当时的日本企业在招工时都有专门的指定大学，而像我就读的鹿儿岛大学这样的地方大学，基本上不会在这些指定名单里。尽管我辛辛苦苦地应聘了许多家公司，但是得到的却全是回绝通知。我当时的指导教授竹下寿雄对我评价颇高，他眼见我一直都找不到接收单位，于是像父亲一样为我的工作问题操尽了心。

竹下教授刚好有一位叫作田中的熟人在松风工业担任技术部长。经过竹下教授的斡旋，对方终于同意录用我，但是先决条件是，我的专业必须是以陶瓷为主攻方向的无机化学。

我的两个叔父都是由于结核病去世的，而我本人也曾深受结核病之苦。叔父们由于没有能够得到妥善的医治而最终离世的情景一直深深地印在我的心中。因此自己最初的理想就是要研发出有效的药品，为那些因重病而受苦的人消灾止痛。

为了实现这个梦想，我报考了大阪大学医学部的药学科，然而却落了榜。万般无奈之下，我才进入了鹿儿岛大学，选择了多少与药学有些关联的有机化学作为自己的主修专业。因此，松风工业提出的必须是无机化学专业的要求对我而言极不现实。然而如果不抓住这个机会，或许我将永远都找不到工作。正是出于这种危机感，我又选择投到教授无机化学的岛田欣二教授门下，在他的指导下撰写毕业论文。也就是说，直到大学毕业前的半年，我才开始了无机化学的研究。恰好那个时候在鹿儿岛县的入来町发现了黏土矿藏，我就把毕业论文的研究题目定为《入来黏土的诸物理性质》。由于我没有任何无机化学方面的知识，在半年时间里我基本上是不眠不休地投入到相关研究之中。最终，作为回报，我的毕业论文得到了岛田教授的高度评价，自己的专业也顺理成章地转成了无机化学，并得到了松风工业方面的录用许可。

因此可以说我之所以能够在精密陶瓷这个领域创业，并最终获得成功，其契机正是源自当时的那种苛酷的就业环境。

1955 年 4 月，我在全家和亲戚们的目送中意气风发地离开家乡去京都赴任。胸中满怀希望的我就此进入了松风工业，被分配到研究科工作。

可是当我进入公司，第一次被带到员工宿舍时，看到的却是一栋摇摇欲坠、破旧不堪的建筑，我忐忑不安地来到自己的房间，看到地板上是千疮百孔的榻榻米，用来编织榻榻米的干草全都杂乱无章地露了出来，简直就像散落了一地的动物内脏。老员工教我买一张花草席，铺在房间的榻榻米上，四周用大头针钉好，这才好歹看上去像了点样子。员工宿舍里没有食堂，得靠自己生煤炉做饭。刚刚才得到家人们的热情送别，满怀憧憬的我，此时的心情就如落入了冰窟窿一般。正是在这种万般无奈的心情下，我开始了自己的工作生涯。

事实上，松风工业这家公司本身的状况也有如它的员工宿舍一般。虽然也一度因为生产特殊高压绝缘体兴盛一时，可是等到我进入这家公司时，公司已经被银行托管。我的工资从一开始就一直被拖欠，奖金什么的就更不用指望了。虽然我离开鹿儿岛时，身上带了一些能够暂时满足生活需要的生活费，但是在我进入这家公司的那一刻起，就立刻陷入了是否能够生存下去的忧虑中。

公司和员工宿舍都在京都市的西边，位于一个叫作长岗町（现在的长岗京市）的地方，也就是现在日本铁道（JR）神足站的西侧。那个时候不管是车站的出入口还是商店街都在铁路线的东侧，这样我每天下班后，都要拿着购物篮到铁路线另一边的菜店去买菜。因为本来就没什么钱，再加上等我去时东西都差不多卖光了，因此我买得到，也买得起的基本上都是大葱、油面渣、油豆腐之类的东西。不过就算如此，把油面渣加到酱汤里好歹也能够填饱肚子，因此我每天晚上都是如法炮制，一个人做饭一个人吃。

有一次菜店老板主动向我打招呼道：

“你看着面生，请问在哪家公司工作呀？”

“我在松风工业工作。”

听到我的回答，菜店老板显出了诧异的表情：“啊？！你在那家破公司工作啊？你是哪里人？”

“我从鹿儿岛来。”

“你从那么远的地方来真不容易啊，可是怎么进到那么一家破公司了。年轻人，如果你一直在那家公司干下去，会连老婆都娶不起哦。”

刚开始，我对这家费尽千辛万苦才得以进入的公司充满期待，可是从进入公司开始，听到的全都是负面的评价，我的干劲也不由得一落千丈。

全力投身于研究开发工作

和我一起进入松风工业的大学毕业生本来一共有五个，但是由于公司的这种状况，从最开始就不断有人辞职。结果过了不到半年时间，到那一年的秋天时，就只剩下我和另一名来自天草、毕业于京都大学的男同事了。当然，就连我们两人也早已不再对这家公司抱有任何希望。

有一天，我们两个人闲聊时，谈到了报考日本自卫队干部候补生学校的想法，我俩感觉这样从头再来好像也不错。于是，接下来的星期天我们说办就办，去附近的自卫队事务所拿了申请书，又请了一天假跑到位于伊丹的自卫队营地参加了考试，最终两人都很幸运地合格通过。

但是要想办理入伍手续，就必须从老家寄来户口的副本，并且提交给自卫队。我的同事很快就收到了家里寄来的户口副本，可是我的却左等右等始终不来，最终错过了截止期限，不得不放弃了参加自卫队的念头。后来再向父母打听时才得知，我的兄长一听到我要辞职参军，勃然大怒，他认为："好不容易有劳竹下老师帮忙，才进入这家公司，现在还不到半年就要辞职放弃，真是不知好歹，这算什么事情啊！"兄长坚决反对把户口副本寄给我。结果最终同期进入松风工作的同事只剩下我孤零零的一个人。我当时用所剩无几的钱为那位考进自卫队候补生学校的同事举办了送别会，但是看着他意气风发、辞职而去的身影，心中不由地充满绝望之情，独自在心中哀叹道："不知道我的霉运究竟要到什么时候才能结束。"我对工作愈加感到厌烦起来。

然而，在这种走投无路的状况下，就算每天唉声叹气、怨天尤人也终究无济于事。对自己的人生产生厌恶就如同是向天空吐口水一样，最终倒霉的还是自己。人生宝贵，只此一回，我绝不能让它随意荒废。一想到这些，我又决定重新振作起来，不管身处何种境遇，也绝不放弃，努力向前。

而我的命运却也就此发生了改变。在此之前我说得上是厄运连连：患过结核病，两度报考中学都失利，考大学也颇多不顺，最后进入的居然还是像松风工业这样的一家亏损企业，所有这些都导致我认为人生充满不幸。然而当我开始转换思维、改变心态要全身心地投入工作时，人生也开始朝着好的方向转变。

松风工业在那之前一直都是以生产绝缘体之类的大型电机陶瓷零部件为主，当时我就预估到，未来市场对电视、收音机等家电的微电子陶瓷零部件的需求会逐渐增多，并不断扩大。因此我认定必须全面开发适用于电子工业的陶瓷材料。

为了集中精力投入研究，让实验获得预期结果，我每天都夜以继日、全神贯注地投入到枯燥乏味的实验当中。虽然我在大学主修的是有机化学，对于陶瓷材料基本上是一个“门外汉”，但也正是由于我对这方面的知识掌握得寥寥无几，反而成为我开展研究工作的优势。因为我不会按部就班地被既有规则束缚，能够无拘无束地展开自由的思维进行创新，从而不断获得不同凡响的研究成果。

后来我觉得连回宿舍睡觉都是多此一举，托自己是单身的福，就把炊事用具和被子都带进研究室，干脆住在了研究室里。

在那段每时每刻都全力投身于产品研发的日子里，我甚至连正常的起居都不能保证了，而这样的生活前后持续了一年多的时间。

作为最终成果，我研究开发出了可以用作新型陶瓷材料的镁橄榄石。虽然美国的通用电气公司在一年前已经开发出了同种陶瓷材料，但是我使用的是与之截然不同的方法，在日本属于首创。20 世纪五六十年代，日本家庭进入了电气化时代，电视机产量一路飙升，因此为了满足日本电视机制造厂商增产显像管的需求，作为电视机显像管主要零部件的绝缘材料早日国产化也就变得刻不容缓。之前一直从荷兰飞利浦公司进口这种部件的松下电子工业公司，因此也专门来询问松风工业生产绝缘材料的可能性。

我立刻意识到这对公司的发展是个千载难逢的好机会。于是我抓住这个机会，利用自己研发出来的镁橄榄石材料，开始了电视机显像管绝缘零部件的研制工作。我不顾一切、全力以赴地开始了这种根据其横截面的形状，被称为U形高压绝缘体零部件的试制。当时我的梦想就是要让刚开发出来的新型陶瓷材料能够派上用场，为了实现这个梦想我几乎废寝忘食。

最终，1956年7月，在进入公司一年半之后，我成功研制出了这种零部件，松风工业也因此从松下电子工业那里获得了大量的订单。

这无疑是给这家日薄西山的公司重新点亮了一缕希望之光。尽管我当时还只是公司的一名普通员工，但还是在心中想道："我们公司或许可以就此获得重生。”

为了有效应对松下电子工业的订单，公司重新调整了部门配属，专门成立了独立的相关研制生产部门——特瓷科，而我因为开发出了镁橄榄石和U形高压绝缘体零部件，被指派到特瓷科专门负责产品的生产制造工作。

让员工彻底明了工作的意义

我所负责的特瓷科工作由此开始愈加繁忙，甚至出现了人手不足的情况。与此相对应的是，之前作为公司主力的绝缘体部门的工作量开始大幅减少。公司原本打算要削减清退绝缘体部门的员工，但是由于遭到工会的强烈反对，最终未能实行。于是公司转而向我提出，让特瓷科来接纳那些绝缘体部门的剩余人员。

然而这些员工早已养成了散漫松懈的工作态度，让这些人进入特瓷科只会给整个部门的工作带来负面影响，出于这种考虑，我决定亲自去选拔适合的人选。我直接来到位于京都火车站前的七条职业中介所去挑选人才。浜本昭市（现京瓷酒店总裁）和稍晚一些才进入公司的伊藤谦介（现京瓷总裁）都是那个时候由我招募进入松风工业的。

然而，当时他们这些人都才刚刚走出校门，不要说专业技术，就连什么是工作的意义也完全没有任何概念。因此对于他们而言，陶瓷材料的开发只不过是个让人污浊不堪、疲于奔命的工作而已。举例来说，在进行陶瓷材料粉末的混合实验时，实验者的鼻孔都会被陶瓷粉末塞满，因此与其说是在搞科研，倒不如说是在做让人不堪忍受的肉体劳动。再加上松风工业本身的各类实验设备并不是很完善，因此也就很难让这些从事研发任务的员工感到自己是在进行最尖端技术的开发和研制工作。然而即便如此，我仍然迫切地希望他们能够明白诸如“为什么自己必须对工作兢兢业业”、“工作到底是什么”之类的道理。

因此每天晚上我都会把满身粉尘的部下们召集到一起，反复向他们告诫：“人生宝贵，只此一回，绝不能虚度任何一天，要全力以赴地度过这一生。”“没有实践，仅靠理论，无法掌握陶瓷材料的真正本质，我们现在从事的是连东京大学和京都大学这样的一流大学都无法企及的高水平研究。”“如果没有我们研制的这些陶瓷零部件，就不会有电视机显像管，所以我们要研制出更加高端的新材料，为社会的进步和发展做出贡献。”

由于这些谈话都是在一天的工作结束之后才进行，因此每当我说完都已经夜深人静，可是大家依然能够全神贯注地倾听。

并且，为了加深与下属员工之间的关系，我们经常会一起出去喝上一杯，开怀畅谈。离公司两三百米处的车站附近有一家小酒馆，我常常把部下领到那里去，点上素面和掺水烧酒，一边吃喝，一边向大家说道：“我们都是萍水相逢，现在能够相聚到一起共事，这是前世修来的缘分，因此大家一定要珍惜这份来之不易的相遇。”我还会以此为话头，与部下们展开思想和情感的沟通与交流。不过我们的闲谈最后又总是会回到诸如“明天把这个实验重新再做一遍、那个实验需要更加严谨一些”之类的工作主题上。

由于需要通过这样的方式来对我的部下和助手们

进行“教育”，我每个月的工资除了寄回家的那部分之外，大部分都花在这样的应酬上，所以我自己的个人生活其实也很拮据。但是我能清晰地感受到众人因为我这种教育而被激发的热情，也就是集体凝聚力，因此我依旧不以为意、甘之如饴。

颁布禁止加班令

松风工业由于经常拖欠员工工资，所以大家都指望着靠赚取加班费来补贴家用。因此公司内部弥漫着一股颓废的氛围，公司员工都养成了在正常上班时间内消极怠工，等拖到加班再好好干活来多赚加班费的习惯。但是在特瓷科，我绝对不允许这种情况出现，为此，在即将扩大 U 形高压绝缘体生产时，我对特瓷科的下属员工们宣布：“禁止加班。”

我之所以做出这个决定是因为，我们部门制造的是刚刚才开始投入量产的产品，如果还要额外支付员工的加班费用，势必造成制造成本上升。只有通过有效控制生产成本，才能从中确保利润。并且也正是依靠这样的办法才足以压低产品价格，赢得更多的订单。等到订单增加到一定规模时，就算不想“加班”也不可能了。而我的考虑是，在那个阶段到来之前，我们首先要做的是尽一切可能降低成本，生产出物美价廉的产品。

就在我宣布“禁止加班”令后，引发了整个部门的一致反对，并且连公司工会的干部也专门跑来向我抗议，我甚至因此与前面所说的那位菊池工会主席发生了激烈的争吵。之所以如此，是因为他们认为连公司管理人员都算不上的我是没有权力制定这种规定的。但是，因为我坚信这个产品的成败攸关企业的生死存亡，即便是在这种状况下，我也决不退让，坚持不允许特瓷科的员工加班。

我本人在试验结果不尽如人意，或者工作任务非常繁重的时候，都会加班加点地彻夜工作。但是正如前面的那封读者来信里所说，我自己从来没有因此向公司要求过任何加班费，但对于下属员工我倒是一直都支持他们向公司申请加班费。然而当时新产品的研发工作正处于紧要关头，只许成功，不许失败。所以我才绝对不能容忍任何为了赚取加班费而刻意延误怠工的想法。与此同时，我也考虑到，如果大家都没有丝毫成本观念的话，将会给工作造成困扰，因此我才向手下员工宣布了禁止加班令。

我反复不断地向众人解释这些有助于我们的事业获得成功的必备理念，刚开始大家或许还多少有些心不甘、情不愿，但是慢慢地，也都逐渐能够理解我的苦衷。

每天晚上我都会不断向部下宣讲自己的这些理念，并最终赢得了大家的共鸣，在我潜移默化的影响之下，众人也都开始变得能够像我一样分秒必争地投入到工作之中。所以我们部门也因此被别人评价为："那个稻盛的特瓷科，简直就像是一支特种部队。"

毅然违反企业员工总罢工的决定

1957 年春天，在我进入松风工业的第三个年头，企业劳资双方围绕着增加工资和人员消减问题发生对立。工会威胁要组织大规模的罢工，尽管劳资双方的对立在企业里面有如家常便饭，但是这一次工会方却显示出了异同寻常的强硬态度。

这就不由得让我产生了巨大的危机感："如果松风工业员工进行总罢工的话，那么特瓷科也将不得不全面停产，并彻底失信于松下电子工业，这样的话，整个公司都有可能面临倒闭的厄运。"

我之所以会产生这种忧虑是因为：假如这场大罢工短期内就能结束那还不要紧，一旦陷入长期化，那么松下电子工业就不可能继续等待，那么我们辛辛苦苦与松下电子工业之间铸就的信赖关系势必丧失殆尽。如此一来，不但我们之前付出的辛勤与努力都会付诸东流，公司也会就此关门，企业员工也必然会流落街头。

因此，无论如何也应该避免这种事情发生。于是我心中打定主意，特瓷科就算违反企业员工总罢工的决定，也要继续坚持生产，为此我将特瓷科的全体人员召集到一起。

"大家想要涨工资的愿望完全合情合理，但是如果因此就举行罢工，停止生产，那么松下电子工业那边就会因为所需的电视机零部件断货而遭遇困扰。如果是这样的话，松下必然会去寻找新的零部件供应商。我们本来打算通过新型陶瓷制品来重振公司，然而要是现在被客户抛弃，我们公司也就必然陷入倒闭的绝境之中。到时候不要说加工资，我们可能连最基本的生活都无法维持。因此特瓷科不仅不能参加这次总罢工，反而要继续全力以赴、扩大生产。当然这么做，我们必然会受到公司其他员工的孤立，所以我希望大家能够与我一道，齐心协力、共渡难关。”

尽管当时我们部门的销售额只占公司总销售额的10%，但却是公司内部唯一的盈利部门。由于生产设备有待完善，日生产能力相对受到制约，所以松下电子工业每天都来催货，我们产品一下生产线就立刻像被抢走一样快速运出。因此我内心深知，即便只停产一天，也一定会给我们的客户造成极大的麻烦。

或许正是这种危机感，才使得特瓷科的全体成员能够振作起来，拧成一股绳。当然我不厌其烦地对工作意义的宣讲教育在这时大概也产生了一定的作用。总之，特瓷科的成员纷纷对于我的这个决定表示赞同。

就这样，特瓷科最终决定不参加企业的总罢工。

由于工会在公司的大门口布置了岗哨，因此我们一旦进入公司就很难再出来。作为应对措施，我干脆以公司为家，把自己一大半的工资都拿去买了罐头等应急食品，带着被子枕头，住在公司里面继续维持生产。

在特瓷科里，有一位后来成为我终身伴侣的女同事，她平时都是作为助手协助我的工作。这一次我指派她担当向松下电子工业发货的职责。每天一大早，我都会躲过众人的视线，悄悄来到公司后面的围墙边，将捆扎好的产品隔着墙扔出去。而她早已在墙外等候，接到这些包裹，直接送到客户手中。

因此我也被工会斥责为“罢工破坏者”、“公司的走狗”、“自以为是的家伙”，但我心怀着利用新型陶瓷的生产重振公司的梦想，任何责难都不会让我产生丝毫的怯意。

对于那些直接来向我表示抗议的工会干部，我是这样回答他们的：“我本人绝对不是公司的帮凶，我只不过不愿意就此熄灭好不容易为这家公司点燃的一丝希望。我既没有要破坏工会运动的打算，也没有想要讨好公司的任何企图。”

这场罢工持续了两个多月，工会干部们也逐渐意识到，如果让公司里唯一一个盈利部门停止生产，那么整个公司的前景都将变得不妙。所以最后他们的态度终于软化下来，仅仅只是要求我们：“为了不刺激其他工会成员，你们只要在进出公司的时候不要太显眼就行。”这样，我们不管是出去购买食物、还是发货都不会再遇到任何阻碍，最终避免了因为罢工而给松下电子工业造成任何困扰的情况发生。

遭到公开批斗

虽然我们特瓷科表面看上去都上下齐心，然而实际上里面还是有一个与大家格格不入的年轻员工。该员工经常消极怠工，对于我的话也是爱理不理。这种人不仅会给整个职场的工作氛围带来不良影响，并且如果听之任之的话，甚至有可能带坏其他员工。当时我的职务是特瓷科主任，我认为该员工不服从上级指示和命令的行为是违反员工规则的，已经足以给予开除的处分。所以有一天我把那个年轻人找来，要求他要么调换部门，要么主动辞职走人。但是这位员工却依旧一副我行我素、毫无悔改的样子。

最后我实在无可奈何，只好去要求人事部长“把那个家伙开除”，但是他对于我的要求表现出瞻前顾后、虚与委蛇的态度，不肯给予明确的答复。不仅如此，对方在言谈中还显露出，不管是上次我“执意破坏罢工”，坚持要向松下电子工业继续供货，还是这次想要解雇手下员工，都是在无事生非、小题大做。

对于这件事，不仅是我想要开除的那名员工，还有公司的人事部长都通知了公司工会，这才导致数日之后，工会组织了对我的公开批斗。

一进我们公司大门，正面有一个小池塘，工会成员在池塘边上垒了几个绝缘体的包装木箱，然后要求我站到上面去。

“站在这儿的这个家伙，无缘无故就想要开除我们工会的无辜伙伴，我们大家绝对不能允许这种粗暴蛮横的行为。”

以这句话为开场白，团团围住木箱的工会成员齐声对我展开了围攻批斗。尽管我多少感到有些意外，但是却并没有因此感到丝毫的恐惧。我一步也不退缩地向围攻我的人群大声疾呼道：

“尽管你们大家想要为这个我想要开除的员工辩护，但是你们是否又真的清楚他是怎样一个无可救药的人？假如你们真的了解他是怎样一个人，却依然要为他辩护的话，那么我现在就从公司辞职。但是你们必须明白，如果你们总是庇护像他这类人的话，公司早晚会倒闭，工会也必然会随之垮台。”

就像这样，我和企业工会之间围绕着各种各样的事情总是矛盾冲突不断。前文提到的那位向《京都新闻》投稿的菊池先生，他正是在松风工业时代与我冲突不断的企业工会的负责人。虽然我本人总是坚信，只要是正确的事情就必须予以坚持，不可退让，但是毫无疑问，当时也一定因此给对方带来了诸多不快。让众人感觉我是一个桀骜不驯、不通人情世故的家伙。

然而 40 年的时光流逝，当我读到菊池先生的这封读者来信时，感到他早已忘记了当年的那些不快，只剩下对于往昔的美好回忆。而我自身对于当年的那些往事，也同样不再介怀。

第二节　作为经营者的起航

拥有“philosophy”

尽管我在松风工业前后只待了不到4年的时间，但是在那期间所遭遇的各种困扰，以及因此产生的思考对于我之后的人生态度产生了重要影响。其中至今也无法忘怀的一件事就是，正是在那个时候，我第一次知道了“philosophy”这个词。

1956年，经由当时作为日本主要银行之一的第一银行的斡旋，负责松风工业绝缘体出口代理业务的第一物产（当时）公司派遣了一位叫吉田源三的人到松风工业来做调查。

吉田先生为了深入了解整个公司的实际状况，每天都在公司里展开认真细致的内部调查。他自然也到了我所在的特瓷科。吉田先生发现，在弥漫于公司上下的一片沉沉暮气中，唯有我们特瓷科截然不同，充满干劲。对此他感到非常不可思议，于是作为整个调查的最终总结，他提出要直接找我谈话。

吉田先生首先向我询问了微电子用陶瓷材料的未来前景，于是我围绕半导体产业在未来发展方面的可能性向他进行了说明。我告诉他："如果公司能够追加新的设备投资的话，应该能够赢得更多的订单。"并且我们还就如何实现公司整体的活性化，以及如何进行人才配置和使用等话题进行了交流。现在回想起来，当时我又不是公司主管，只不过是一个毛头小伙而已，能够说得出来的大概也仅仅是些粗浅的个人想法罢了。

然而吉田先生却认真倾听了我的话，最后他大声对我说道：

"你虽然才只有 20 多岁，但是了不起，你已经拥有自己的'philosophy'了。"

虽然当时我点头听着吉田先生的这番话，然而自己事实上还并不太了解“philosophy”这个词，对其含义可以说是一无所知，只不过在心底暗自钦佩：吉田先生到底是在“二战”前就作为三井集团的驻外代表担任过纽约支店负责人的厉害角色，在他现在这家公司也算是个海外通，果然知道不少艰深的辞藻。等我回到宿舍，翻出字典，找到“philosophy”这个词目，看到它代表的是“哲学、信念”之意时，我至今还记得当时心中为之一震的感觉。

那个时候的我连“philosophy”这个词都不是很清楚，就更不要说会有意识地想要拥有自己的哲学。

然而非常凑巧的是，将“philosophy”这个词教授给我的吉田先生与我在鹿儿岛大学读书时的恩师内野正夫教授是东京大学的同级生。

这位内野教授对于我来说也是一个不同寻常的存在。内野教授到鹿儿岛大学任教时，恰逢我即将发表毕业论文，也就是说，一直到快要毕业为止，我与内野教授都还并不认识。但正是这位内野教授对于我的毕业论文《入来黏土的诸物理性质》给予了极高的评价。

在毕业典礼的谢师会上，我从内野教授那里得到了自己连想都不敢想的鼓励。他对我说：

“稻盛，你肯定能够成为一名杰出的技术人才，一定要努力！”

并且内野教授还邀请我一起喝咖啡，对我的毕业论文做出了最高的肯定：

“你的毕业论文实在是非常优秀，与我知道的那些东京大学学生的论文比起来丝毫也不逊色。”

一位从未直接指导过我的老师，给了我如此和善温暖的鼓励，他的这些亲切的话语如同春雨般令我动容。从那时开始，即使是到大学毕业之后，每当遇到难解的问题，我都会向内野教授请教，听取他的指导。

我永远不会忘记的是，每当内野教授因为有事要去东京，都会事先给我发来电报，告诉我他乘坐火车在京都停留的具体时间，以便让我能够到京都站和他见上一面，利用夜行列车靠站停留的短暂时间，询问我研发工作的进度和情况，并向我提供建议。

并且他总是会激励我：“努力工作！”

并且，在我从内野教授那里得到的众多建议当中，有这样一条让我终生难忘。

一次，一名来自巴基斯坦的技术人员到松风工业进行考察。他来日本的目的是要购买生产低压输电线用绝缘体的电炉。当时我刚好在研发镁橄榄石的同时研制出了用于生产这种材料的电隧道炉。

这种电炉的特点是操作简便，耗电少。那位巴基斯坦技术人员认真倾听了我对于这种电炉所做的说明，并表明了购买这种电炉的意向。我在因为自己的技术得到认可而感到高兴的同时，也针对巴基斯坦当地的电力情况开始对电炉进行改造工作。

然而就在即将发货之时，对方却又提出，光是收到电炉也不知道该如何使用，因此希望我作为技术指导也一同到巴基斯坦去。这时正是 1958 年的春天。

我原本就有到海外工作的打算，故此也认为巴基斯坦方面提出的工作邀请正是一个绝佳的机会，所以对对方的这个要求很动心。当时是我进入公司的第三个年头，虽然我的工资多少有些增加，但是也只不过每月一万几千日元而已，对方却提出愿意向我支付每月二十万日元的高额工资，这点对我而言也十分具有吸引力。

如果真要是这样的话，我每月寄给家里的补贴也就可以大幅增加。一想到这些，我就很开心地去与我的兄长商量。兄长虽然也感到高兴，但是他认为我还是应该首先去听取一下内野教授的意见。

然而没想到的是，内野教授听了以后却断然否决："不能接受这个邀请。"

"你要是到巴基斯坦去了，等于就是离开了开创最新技术的最前沿，等到你回日本的时候，你所掌握的技术就将变得过时，而这种损失是绝难弥补的。"

内野教授的这个忠告最终打消了我去巴基斯坦的念头。如果当时我没能抵御住那个诱惑，也就不会有现在的我。所以对于这样一位能够为了我的未来发展殚精竭虑的好老师，我至今依然心怀感激。

辞去松风工业的工作

也就是在同一年，公司突然接到日立公司的问询，对方想知道我们公司是否能够用我研发出来的镁橄榄石材料生产陶瓷真空管。当时正逢晶体管即将问世的前夜，要想实现电视机的小型化真空管就要做的越小越好，因此电视机生产厂家才会产生是否能够用陶瓷材料来制作真空管的想法。

于是我立即着手组建了研发团队，开始了相关课题的研制工作。可是由于精度要求非常高，因此我们想尽一切办法也很难生产出符合规格要求的产品。就在那个时候，之前一直担任技术部长的青山正次先生（原京瓷总裁）因为与从外面来的公司新任总裁意见不合，结果被贬黜到总裁办公室去担任一个闲职，而技术部长的职位则由另外一个新进公司的人来接替。这位新技术部长最初是做古董出身，他对于围棋和日本将棋倒是分外精通，可是对于陶瓷技术实在是一窍不通。

有一天，这位新任技术部长跑来对我说：

“看来你也没啥好办法，还是请别的技术人员来研制陶瓷真空管好了。”

我立刻就毫不迟疑地回答他道：

“如果是这样的话，我辞职，就只做到今天。”

当时我心中的想法是，虽然这是一家濒临破产的公司，即便我们身处这样恶劣的环境，都依然能够心怀梦想，废寝忘食地投入工作。然而在这样一个完全无视我们这些年轻人的辛劳，丝毫不能给予理解，对于下属不肯给予信赖和尊敬的人手下，是不可能把工作做好的。

不过当时公司的其他高管都非常认可我对公司的贡献，因此都来挽留我，要求我撤回辞职的决定。但是我有鹿儿岛人的倔脾气，一旦说出的话就绝不可能再收回。因此我对来挽留我的公司高管们明确说道："不好意思，我已经没有任何继续在这家公司干下去的意愿了。"但是我最终还是同意继续工作到年底（1958年年底）。

得知我要辞职的消息，同在特瓷科工作的浜本和伊藤也跟着提出："如果稻盛辞职的话，我们也辞职。"并且不光是他俩，包括年长于我、担任营业科长的北大路季正先生（原京瓷监察董事）和青山先生也一同提交了辞呈。青山先生要比我长30岁，当时已经56岁，比我父亲还要大5岁。

他们大家说道："我们大家同心协力，努力奋斗到了今天，今后也让我们一起继续共事好了。"这一切都让我感到异常的欣慰。

但是在那个时点，我还没有认真考虑过如果大家都跟随我辞职的话，之后又该何去何从。于是围绕着"虽然已经决定要辞职，但是我们接下来又该怎么办？"这样的问题，我和大家进行了反复的沟通，最终得出的结论是：对于大家来说，最好的选择就是以我所开发出来的陶瓷技术为基础，创办一家属于我们自己的公司。然而虽然是这么说，但是我们却没有谁拿得出创办新公司所需要的资金。

于是我们以青山先生为核心，开始了寻找投资者的活动。

青山先生最初接洽的是他在京都大学工学部电子工学科就读时的同级生西枝一江先生和交川有先生。

西枝先生以前也曾经任职于松风工业，但是因为与企业经营者意见不合而辞职。当时他已经担任一家名叫宫木电机的专务董事一职，并且在辞去松风工业的工作后，进入宫木电机之前的这段时间里，曾经短暂地从事过专利许可代办的工作。因此与大学时代的同级生、任职于日本专利厅的交川先生交往颇深。而这位交川先生从专利厅退休后，受西枝先生之邀，入股宫木电机，当时同样在这家公司担任常务董事。

1958 年 10 月，在青山先生的带领下，我第一次拜访了西枝先生的府邸。当我们抵达时，西枝先生与交川先生早已在会客室里等待着我们的到来。

本来说是要我去就新型陶瓷材料进行说明，可是就当我刚打算要开始的时候，交川先生却突然冒出一句：

“一个 26 岁的年轻人到底又能做些什么呢？这样一个年轻人是不可能创业成功的。”

虽然对于这次访问我心中充满了期待，但是我觉得交川先生的话也并非毫无道理，因此那天也只好就简单辞别而去。可是没想到的是，西枝先生与交川先生却为我的事情一同与宫木电机的宫木男也总裁进行交涉，经过反复沟通协调，最后成立了以宫木总裁为中心的投资方，决定为我们投资创办一家新公司。

宫木电机自身也是基于宫木总裁本人所拥有的技

术而创建起来的，可以算得上是最早的风投企业，或许正是因此他才能对于我们的创业愿望产生共鸣。但是我认为真正起到决定性作用的还应该归功于青山先生的执着，以及西枝、交川和青山他们三人之间的牢固友情。

这些与我非亲非故、素昧平生的人，敢于把赌注压在像我这样一个年仅 26 岁、从小地方来的技术员身上，给予慷慨的资助，这种宛如天方夜谭一般的事情，却实实在在地发生在了我身上。这让我在欣喜若狂的同时，也感受到了沉重的责任。

由于是宫木电机的经营者向我们提供了投资，因此新公司也就理所当然地成为宫木电机的子公司。为此西枝先生和交川先生向宫木总裁提出交涉，要以技术入股的形式让我们这边的人拥有公司股份，以便让新公司能够作为一家独立的企业由我们自己进行管理。

特别是西枝先生，他不仅向我们这家新公司注资，并且还以自己的房子为担保，从京都银行为我们公司借取了 1000 万日元的贷款。后来我才得知，西枝先生和他的夫人之间曾经有过这样一段对话。

西枝先生同他的夫人商量道："有一个叫稻盛的年轻技术人员想创办新公司，我见过他本人，觉得确实是一个非常不错的年轻人。因此我想在资金上给他一些资助。但是我们自己也没有什么钱，所以我打算把房子作为抵押，替他筹措一点资金。但是如果他的公司失败了，我们的房子就可能要被没收。"

而他的夫人对此的回答是："如果一个男人能够如此被另外一个男人打动，那么一定是有道理的。"

正是经过这样的努力，京都陶瓷（现京瓷）才得以成立。在1958年年末的一个日子里，一同从松风工业辞职参与新公司创办的八个同伴，聚集在一间不到十平方米的宿舍房间里。

除了青山先生，大家都是二十来岁、血气方刚的年轻人，在这间连坐垫都没有的陋室里，沸腾着一股激昂的热情。

尽管我们已经确定要创办公司，但是对于未来会怎样我们都一无所知。从最初那一刻开始，大伙就都向我表示：不管公司遇到什么困难，就算是去打零工，大家也要继续支持我对陶瓷材料的研究。正是这样一种牢不可破的友情，让我从心底感到了欣慰和踏实。

我提出：“为了让彼此能够更加精诚团结，干脆一起写一份血书好了。”在大伙的一致同意下，我们写了一份誓词，内容是：“我们虽然一无所有，但是一定会众志成城，团结一致，为世间和人类做出贡献。为此我们聚集一起，歃血为盟。”

然后我们刺破自己的小指，在誓词书上摁上了我们的血指印。

虽然新公司已经创立，但是我们一无资金，二无设备，有的只是我们大伙之间的牢固友谊。人心虽说善变，但是心与心之间，一旦能够紧密相连，由此产生的力量就没有任何东西可以与之匹敌。因我们开创事业的基础是建立在历史使命感和个人情谊之上，因此我们大家相互约定，不管遭遇怎样的艰辛，也一定要珍惜这份情谊。

1958 年 12 月 13 日，我正式离开了松风工业。

第二天，也就是 12 月 14 日，我与曾经在松风工业特瓷科担任我助手，也就是在我违反企业总罢工令时，协助我进行产品送货工作的须永朝子举行了结婚仪式。结婚仪式就在京都市市政府内的一个房间里举行。列席者很少，只有一起歃血为盟的伙伴和我们两个人的家人。仪式上提供的食品，也只不过是些咖啡、蛋糕而已，可以说十分简朴。

创建京都陶瓷

1959年4月1日，京都陶瓷以300万日元的资本金，28名员工的规模，在京都市中京区西京原町正式成立。

我们的工厂兼办公室都在一栋从宫木电机借用的木制二层楼内。一楼放电炉和隧道炉，二楼则是成型设备和办公室。由于建筑简陋，每当二楼的手动成型机工作时，整个地板都会随之摇晃。而一楼的烧结炉产生的热气则一股脑地全涌到二楼来。

整个公司只有巴掌大小。每当员工午休，在公司的空地里玩投球游戏时，失手的棒球常常会直接飞进对面的烟铺。我们就是从这样一家小作坊工厂开始起步的。

虽然公司已经成立，但是我首先要做的是解决28

名员工的生存问题。尽管松下电子工业出于对我以前在松风工业成绩的认可，在我们公司创建之初就发来了每月 20 万支 U 形高压绝缘体的订单，然而这些订单到底还是杯水车薪。由于这家公司是以我为核心创建起来的，因此公司出现任何问题，我都责无旁贷，必须亲自予以解决。正是源于对公司前途的危机感，我自己四处发掘新客源，努力扩大生产规模。

可是我既没有可供依靠的前辈，也没有任何其他关系可以依赖，并且当时我们公司在市场上也没有任何知名度，在向客户打电话时，报上“京都陶瓷”的名号，对方甚至都搞不清是哪几个字。在这种情况下我就不得不像一个推销员一样，一家一家地亲自上门拜访，寻求订单，开拓市场。

在当时那种状况下，我们公司能够指望的，基本上都属于其他竞争对手感到超出自身能力所及，无暇顾及而主动放弃的客户订单。我能做的也只能是对客户们保证说“我们可以办到”，靠此才拿到些其他同行认为做不下来的订单。对于我们这家刚刚成立的公司，要生存下去，就只能直面挑战，接受那些甚至连我们的大型竞争强敌们都感到无能为力的订单。在那些日子里，我们大家恨不得一分钟当成两分钟用。为了公司的生存，大家齐心协力，全力以赴地投入到各项工作之中。

通过这样的不懈努力，新公司在成立的第一个月就实现了盈利。一年后的年度结算显示，我们公司当年完成了2630万日元的营业额，其中仅利润就达到了430万日元。

确立经营理念

然而，在公司创办第三年的5月份，正当公司的发展一帆风顺之际，我遭遇了一件彻底颠覆自己经营理念的事情。我创办这家公司的直接动机原本是想作为一名研究者，将自己开发出来的精密陶瓷技术光耀于世。但是这时我却不得不从根本上重新调整自己的这条信念。

事情起源于前一年春天公司录用的11名高中毕业的男性员工，他们拿着按着每人血手印的请愿书集体来找我交涉，请愿书的内容是要求公司向他们做出定期加薪和发放奖金的保证。

他们把这份请愿书交到我面前，并要求道：

“公司将来的发展到底会怎样我们心里也没底，所以大家都很不安。因此希望公司能够做出每年都能给我们定期加薪和发放奖金的承诺。否则的话我们无法保证会一直在这里干下去。”

可是以我的立场，对这些员工的要求实在是难以满足。虽说公司从成立第一年开始就确保了盈利，可是依旧处于起步期的摸索阶段。下一步会怎样，谁都不敢确定，更不要说要为一年以后的事情做出任何承诺了。

但是对方坚持，如果我不能满足他们的要求，那就全体辞职。由于在公司里我费尽口舌也无法说服他们，于是我就把沟通的场所换到了我当时位于京都市嵯峨野的市营廉租公寓的家里继续进行。

“虽然你们想要在未来的工资和奖金问题上获得公司的承诺，但是你们也必须清楚，我们大家现在还处在每天为了能够生存下去苦苦挣扎的阶段，你们要求的那些东西实在是太不现实。当初我在决定录用你们的时候，肯定对你们说过：‘我们还只是一家刚成立的小公司，希望大家能够共同努力，让它成长壮大。’因此你们也看得到，我本人没日没夜地辛勤工作，想要把这家公司做大做强，以便将来能够与大家一起分享成功的喜悦与幸福。”

尽管我试图通过这种方式说服他们，可是在当时的日本，左翼思潮风头正盛，整个社会都只以劳资对立的角度来看待问题，缺少长远的胸怀。因此我一直说到天亮对方依旧不为所动，坚持己见。他们的回答是：

“你们这些经营者不管什么时候都只会像你一样叫苦，欺骗我们劳动者。总而言之，如果不能在工资和奖金问题上获得承诺，不管你再怎么说，我们也没有办法安心工作。”

我们双方就这样连着谈判了三天三夜。

到了第三天，我最终毅然宣布道：“我不能给你们任何承诺，但是我一定会为了你们大家倾尽所能。你们完全可以相信我的这番话。如果你们现在有辞职的勇气的话，也希望你们能够有同样的勇气来相信我。我会为了这家公司的发展壮大，舍命奋斗，如果我有任何欺骗大家的地方，要杀要剐，悉听尊便。”

见到我把话说到这个份上，对方也终于明白了我的真心，于是他们撤回了自己的要求。但是当我告别了他们，独自一人时，却陷入了深深的苦思。

作为企业经营者，我当时对于企业的未来发展一片迷茫。然而正是这次的事件让我第一次真正地发现，企业员工需要向企业经营者寻求对于自己以及自己家人未来的保证。当我意识到这一点时，不由得产生了“自己干了一件多么没意义的事情啊”的想法。我本来首先应该做的事情是照顾好在老家吃苦受累、让我能够上大学的父母和兄弟们。可是现在我连这件事情都没做好，就作为一家企业的经营者去操心那些与我没有任何血缘关系的手下员工的工资问题，甚至还需要为他们家人的未来提供保证。

当我最初创建公司时，梦想是要让利用我的技术生产出来的产品遍布全世界。但是经过这一次的事件，我终于痛感到，那只不过是一个技术员的梦想而已，既无法赢得手下员工的理解，也不足以维系企业的经营。

从那一刻开始，我对什么是公司，公司的目的到底是什么进行了认真的思考。我也正是在那个时候开始意识到，公司并非是用以追求个人梦想的工具，而是不管任何时候都能够为其员工提供保障的所在。因此我从那时起就做出了决断，作为企业经营者，我要为手下员工获得物质和精神两方面的幸福而鞠躬尽瘁，付出自己最大的努力。

并且，我也认识到，作为企业经营者，我不仅要考虑自己公司员工的利益，同时还要担负起作为社会一员的应尽职责。就像这样，我的思考一步一步不断深化扩展，最终形成了京瓷经营理念的核心，即“在追求全体员工物质和精神两方面幸福的同时，为人类社会的进步发展做出贡献”。

虽然那一次的事件也可以看作是场出乎意料的员工叛乱。但正是受赐于那些打击与烦扰，使得我在很年轻的时候，就已经对企业经营的本质有了清晰的认识。那就是，经营者必须具备不为己利，而是以员工和世间的利益为基点的经营理念。我相信正是由于我们公司在创业初期的第三个年头就能够确立这样一种经营理念基盘，京瓷才能在后来的发展中获得巨大的成功。

并且，正如前面已经提及的，从京瓷成立第一天开始，我就对于人的心理，以及各种重要原理和原则极其重视。为何我会这样，说实在话，连我自己也不是非常清楚，但是我相信，这或许与我童年的成长历程有着千丝万缕的关系。

在下一章里，我想要讲述的是养育了我的父母，以及那些曾经给予过我深刻影响的，故乡鹿儿岛一些伟人们的事迹。

第二章　我的人生观与思想源头

第一节　我的成长过程与我的父母

被人讥笑为“爱哭虫”的幼年时代

1932 年 1 月 30 日，我出生于鹿儿岛市城西町（旧名药师町）一家从事印刷行当的家庭。我的父亲名叫畩市，我的母亲名叫姬美，我是他们的第二个儿子。事实上，我真正的生日本来应该是 1 月 21 日，但是由于我的父母忙于工作和看孩子，因此没来得及及时给我上户口。我的兄弟姐妹一共是四男三女，虽然我们并不是一个富足的家庭，但是大家过得也是其乐融融，非常和睦。

据我的父母回忆，我天性就是一个活泼好动的小孩，每当亲朋好友们聚在一起的时候，我总会做出各种各样滑稽的事情把大家逗得哈哈大笑。可是与此同时，我又非常爱哭，一哭起来就没完没了。所以和我们住在一起的叔叔给我起了一个外号叫“爱哭虫”，我的这个外号在我们家那一带算是家喻户晓，尽人皆知。

事实上连我自己都还记得，那个时候只要有稍不称心的地方，我立刻就会号啕大哭，一心指望母亲就会因此来哄我。可是由于母亲需要在父亲的印刷工厂里面做帮手，根本没有空来安慰我，并且我总是找父母最忙碌的时候哭闹，结果反而被大家看作累赘，没有人来管我。感到失落的我，于是变本加厉地大哭大闹，在最终得不到满足的情况下，我干脆撒起泼来，乱打乱踢家里的纸门窗，把纸门窗弄得千疮百孔。结果我不仅得不到母亲的宽慰，反而会被她责骂一顿，这又导致了我哭闹的进一步升级。

记得那时的我总是这样，经常因为与初衷截然不同的原因哭闹到最后。

我上小学一年级的时候，叔叔经常会带我去看电影。回到家里，我就手舞足蹈地向妹妹们演示电影里面的情节，让她们开心地觉得“听哥哥讲要比真正去看电影还要有意思”。

当时正逢打斗电影流行的时代，电影主题基本都是些惩恶扬善的内容，类似情节的电影翻来覆去看了许多遍后，我已经练得一眼就能够看出电影里谁是正面角色，谁是反面角色，电影的情节和结局又会怎样。所以刚开始，当叔叔说要带我去看电影时，我总是欣喜若狂地跟在他后面，可是后来却越来越觉得纳闷：“大人们为什么愿意为了这些无聊透顶的东西浪费好几个小时？”于是自己也就渐渐不再愿意跟着叔叔去看电影了。

作为“孩子王”的少年时代

我生性本来非常胆小，上小学时，刚开始如果没有母亲的陪同，绝对不肯一个人去学校。但是随着二年级、三年级……不断升级，我也就完全习惯了学校，甚至有了一群像跟班一样的朋友，渐渐成为了学校里面的“孩子王”。

但是作为小朋友里的“孩子王”，如果我稍微显示出了一丁点儿的胆怯，立刻就会被跟着自己的小朋友们抛弃。所以尽管我天生胆小，却又必须硬着头皮去参加一些毫无胜算的打架斗殴，并且还经常要鼓足勇气去挑战其他一些厉害角色。现在回想起来，在那个时候，我就已经在玩耍的同时逐渐地掌握到了一些如何率领团队的技巧。

当时我们班上有一个总是受到其他同学欺负排挤的小朋友。那个小朋友一定是认为只要能够赢得我的青睐的话，就能够和我们大家一起玩耍。有一天他跑来对我说：“我有 50 钱的银币。”那个时候，我每天只有 1 钱的零花钱，因此 50 钱对我而言，无疑是一笔巨资。

但我不相信一个小孩子会有那么多的钱，因此根本不以为然。但是他却总是跑来向我提及他手里的 50 钱银币。于是我问他：“你到底是不是真的有这么多钱？”他回道：“当然是这样的。”他告诉我：“因为这是奶奶给我的钱，所以稻盛你要是愿意的话也可以随便花。”于是我就让他把钱拿来给我。数日后，那个小朋友果然拿了银币来给我，我再次向他确认："我真的可以拿来用吗？"他答道："当然可以。"

于是我毫不犹豫地拿银币全部去买了糕点，与小朋友们共同分享。由于是生平第一次像一个大款似的花了这么大一笔钱，因此我心里感到非常得意。

可是等我第二天去上学时，却遇到了那个小朋友的母亲。我被叫到老师办公室，老师不分青红皂白，先把我训斥了一番。原来那50钱的银币是那个小朋友偷偷从他母亲钱包里拿的，可是他现在却对老师和母亲撒谎道："是稻盛威胁我偷的，如果不听他的话，就会被欺负，所以我实在是没有办法才被逼无奈偷拿的。"因为我曾经反复向那个小朋友确认过钱是他自己的，所以这个时候我依然坚称："自己没有做错任何事情。"可是最终却仍然背了黑锅。

另外还曾经发生过相似的一件事。班上有一个刚从中国台湾回到日本的同学。由于他头上刚好有一块一钱铜币大小的地方没长头发，因此被班上同学讥笑为"一钱秃毛"。有一天，这个小朋友主动跑来对我说："我家的柿子树结果子了，我爷爷说了，'叫稻盛他们大家一起来吃’。”

因为已经有了前面那50钱银币的教训，所以我根本不相信他说的话，一口就回绝了他。但是那个小朋友反复跑来跟我这么说，我就动摇了，觉得或许他说的是真的，就问他道：“那么今天可不可以去你们家摘柿子呢？”可是他却说：“今天我爷爷不在家，所以不行。”第二天我再问他，他又找别的借口给推脱了。这样一来二去问了好几次，终于有一天，等他再次推脱“今天我爷爷还是不在家，所以不行”时，我对他说：“你已经说过你爷爷同意的，那就应该不会有什么问题。”于是我带上十人左右的小伙伴跑到他家，把他家柿子树上的柿子摘了个精光。

没想到这一次那个小朋友讲的又是假话，事后他爷爷咆哮着来到学校追究责任。他说我胁迫他的孙子：“如果不让摘柿子的话，就要收拾他。”结果我又被不知情的学校老师给痛骂了一顿。

如今想来，正是当年我当“孩子王”的经历，对后来的人生产生了两个重要的影响。

一个是，当年我在嬉戏玩要的过程中就已经开始学会了如何获取人心；另一个则是让我了解到分辨他人话语真意的重要性。前一点告诉我，一个人要想成为领导者，就必须具备足够的勇气，甘于做出自我牺牲；后一点则让我明白，我们不能一味按照自己的标准来做判断。

对不公正的反抗

尽管我小时候是个“孩子王”，却从没有肆意妄为地欺压其他小朋友。但是当我上六年级时，却终于做出了一件足以称得上是“欺负人”的事情。

每当新学年开学时，我们的班主任都要定期进行家访。老师都是由预定家访家庭的学生带着，从离学校最近的家庭开始，逐家进行。对于那些经营着小买卖的家庭，由于学生母亲一般都要忙着照顾店铺生意，因此老师顶多也就是站在店铺门口，和这些家长说几句就走。而对于那些稍微富裕些的家庭，老师则会受到邀约，到家里多坐一会儿。因为我家离学校最远，就需要一直在门口等候老师到来。

但是这一次班主任在进了我家附近一个小朋友的家后，却左等右等怎么都不出来。当时我一心只想早点完事后好外出玩耍，可是左顾右盼，却一直不见老师的踪影。情急之下我就托小朋友去那家打探，结果得到的报告是，班主任正和那家的女主人围坐在桌子旁，一边闲情逸致地品尝糕点，一边兴致勃勃地聊天。等到他们谈话结束，那家女主人把老师送到门口时我才看到，与我的母亲截然不同，那家女主人打扮得非常漂亮时髦。

由于班主任在那家耽搁一个多小时，把时间都花得差不多了，因此他来到我家时，就只在我家门口，对着等待已久的母亲三言两语说了几句转身就走了。

老师在一个学生家里聊了一个多小时，在另一个学生家却没说几句话就走人。这件事触动了我幼小的心灵，让我觉得：“作为教育者，这样做非常不公平！”

第二天到学校我仔细观察发现，老师对于那家的小孩确实有些另眼相待。比如在上课时，当老师问道“还有不明白的同学请举手”，只要那一家的孩子举手，老师就会走到他的桌旁，给予亲切认真的指导。

可是当我们这些捣蛋鬼，有什么不明白的地方，一起举手询问时，却只会被老师训斥：“你们这些家伙压根儿就没认真学习，所以不知道是理所当然的事。”根本不会为我们解答。

出于对老师这种偏心眼的不满，作为报复，我们这些捣蛋鬼开始欺负那家的孩子。

有一次，我们当中的一个人用拍子把那个小孩的脸打出了一道小口子。在此之前，虽然那个小孩子也经常遭到我们众人的欺负，但是害怕如果向父母或者老师告状，会遭到更多的报复，他就一直没敢告诉家长和老师。可是这一次，脸上的伤口再也藏不住了，回到家，在他母亲的再三询问之下，他把之前受到的委屈和欺负全部都抖了出来。

第二天一早，我上学时，发现气氛有点不对。平时一见我立马就会围过来的小朋友们全都消失了，并且过了上课时间教室里也不见老师的身影。正当我感觉事情有些不妙时，我被再次叫到了老师办公室，在那里，和我一伙的小朋友们都站成一排正接受老师的质问。让我十分震惊的是，他们都异口同声地说：“是稻盛指使我们大家干的。”结果我免不掉又一次遭到老师的痛骂：

“你这家伙干吗要欺负同学！”

“因为老师偏心眼。”

于是我一口气把老师家访的事情，还有在教室里上课时的态度一股脑地全吐了出来。

可是我话没说完，老师的拳头就挥了过来，不光是皮肉之苦，老师愤怒的表情更是骇人。但我由于自始至终坚信我并没有做错任何事，错的是老师，因此尽管身体有些退缩，但我的眼睛没有流露出丝毫的怯弱。或许是我坚定的眼神进一步刺激了老师，当他把我打倒在地后，又拽着衣领子把我拎了起来，连扇了几个耳光。

在鹿儿岛，想要与长辈或者上级争论，是会被制止，接受惩罚的，而且这被认为是天经地义的事情。我却全然不顾，仍然一副正义凛然的表情，怒视着老师。

最后，我的母亲被叫到学校，老师对着诚惶诚恐的母亲倾泻了一大堆我的不是之后，还进一步含枪带棍地说道：

“太太，稻盛是我们学校有史以来最糟糕的学生，我真不打算让这样一个顽劣之徒毕业。虽然他本人一直在说想要升入第一中学，但那是根本不可能的。并且以他现在这个样子，也没有哪家中学会要他。”

被老师这么一说，我顿时有如五雷轰顶。并且正如他所宣告的，后来我在小学最后一年得到的是非常糟糕的成绩。

那一天，直到日暮之后老师才允许我回家，垂头丧气的我一边和母亲踯躅在回家的路上，一边已经在心中做好准备，向来性格温厚的父亲这一次肯定要大发雷霆了。

父亲对于我的正义给予理解

一般而言，晚饭时间对我来说是一天中最快乐的时刻。但是那一天我却一直躲避着父亲的视线。我只是在一旁低着头，默默地听着母亲低声向父亲汇报今天发生在学校的事情。

终于，父亲缓缓地开口问我：

“你干吗要做这些坏事？”

于是我向父亲解释了老师的不公和偏心眼，并且越说越激动。

一直默然倾听的父亲又开口道：

“你认为自己是正确的？”

“对！”

“哦，那就这样吧。”

自那以后，对于这件事，父亲再也没提过半个字。

我以前就一直认为父亲是一个憨厚老实的人，经过这件事更加深切地体会到父亲宽广的心胸。自己那微不足道的正义感竟然能够得到父亲的认可，对此我感到无比欣慰。也正是通过这次的经历，我坚信，正确的事情必然会得到认同。

不过这件事情并没有就此结束，很久之后还出现了与之有关的花絮。我后来由于报考中学失利而去了高等小学就读。而那个被我们欺负的小朋友，则升入了鹿儿岛第二中学，自打小学毕业后，我们就再也没有见过面。

正当他彻底消失在我的记忆中时，发生的一件意想不到的事却又把我俩联系到了一起。

我认识一位叫平原的熟人，他当过鹿儿岛银行的行长，后来又到岛津家族的公司工作，成为岛津兴业的总裁。在京瓷成功之后，我因为有事情回鹿儿岛时，正是由这位平原先生牵头，组织鹿儿岛商界为我召开了欢迎会。以此为机缘，后来每当平原先生来关西时，必定会来看我。在拜访完我之后，他顺便就住在大阪的女儿女婿家。

有一天，这位平原先生的女婿给我来了一个电话。对方叫镰田，一打听，原来他在某家啤酒公司设于大阪的工厂担任人事部长。这位镰田先生告诉我说："每次岳父到我家投宿时都会讲起一位非常了不起的，名叫稻盛的鹿儿岛人。稻盛这个姓，刚好与我当年认识的一个'孩子王'相同，但是又觉得不可能是一个人，后来越听越明白原来就是当年欺负过我的那个'孩子王'……"

颇感意外的我仔细一问，原来他是另有事情拜托我，也就是想要到京瓷来工作。

当时镰田先生就职的那家啤酒公司由于市场份额不断萎缩，公司一直在裁员，而他作为人事部长，主要的工作就是向企业员工宣布公司解雇的决定。他告诉我："我实在忍受不了一天到晚让别人丢掉饭碗，而自己却在这里安然不动，可是我又没有更好的选择，后来听岳父说起您公司的事业非常成功，因此如果可以的话，能不能让我也到您的公司工作？"

诧异万分的我回到家，向家人讲述了这件事情，我的妻子和女儿都异口同声地说道："也到了你该为你以前做的那些坏事赎罪的时候了，你最好帮人家这个忙。"于是，与公司人事部门商讨之后，我将他招入了京瓷。镰田先生进入京瓷后，工作十分勤奋，最后担任了京瓷集团赛鲁拉电话公司北海道分公司的专务董事一职。

自以为是厄运不断的人生

还很年轻的时候，一连串的不幸和霉运让我一度认为自己将会度过非常悲惨不幸的一生。

最初是报考中学时，我对自己信心十足，报了当地最具声望的鹿儿岛第一中学。结果比我成绩还要差的好朋友都顺利地考上了这所中学，唯独我落了榜，只能进入高等小学就读。

可是我想要进鹿儿岛一中读书的意念如此强烈，后来又重考了一遍，原本以为这一次会如愿以偿，但是就在临考前，也就是高等小学第一年快结束的时候，我毫无预兆地患上了肺结核。

我父亲最小的弟弟当时从中国东北回到日本，就住在我们家，我就是从这个叔叔那里传染上肺结核的。值得庆幸的是，我的病并不算太严重，但是在考试的时候我还发着高烧，结果当然不言而喻，这次考试再次以失利告终。

对此我除了自认倒霉，也实在无话可说。

高中时我本来进入的是鹿儿岛市立高中，但是三年级的时候，由于学制改革，鹿儿岛市立高中与其他学校合并，改名为玉龙高中。就在我的高中生涯还只剩下最后一年时，新的玉龙高中要建新教学楼，学生们被组织去参与新教学楼的修建工作，我被要求去扛筐子。

我当时正集中精力准备大学的入学考试，对于被迫参加这样的劳动实在感到有些无奈。而实际上，当时除了我之外，高三学生里只有三四个人参与学校新教学楼的修建。

于是我寻思着：“大家都溜掉了，只有我还在这里老老实实干活，实在有些蠢不可及。”于是到第三天，我也没去建筑工地。

可是原来并没有查出勤率的校方偏偏在我没来的第三天点名。那些之前都没来的学生事前就听到了风声，因此这一天都到学校参加了劳动，结果我被老师斥责为：“你这家伙只关心自己的升学考试，却不愿意做奉献，实在是个自私自利的家伙！”

当时还发生过这样一件事。高三的时候，在鹿儿岛的鸭池球场举行了一场高中棒球对抗赛，我们大家都去当啦啦队队员。

鸭池球场离学校有些远，同学们都打算坐火车去，但是我拿不出那么多车钱，有些犹豫不决。可是同学们都怂恿我说：“你可以用你的月票坐到中途的高见马场，后面一段可以逃票，这样就肯定能到鸭池。”思前想后我还是决定和他们一起坐火车。去的时候运气还不错，平安无事抵达了鸭池。可是回来的路上，我心里打起了鼓，还是想徒步走五公里回家算了。

同学们再次不以为然地劝我：“下车的时候，我们大家一齐掏出月票向乘务员晃一下，这样绝对能够混得过去。”因此归途我又忐忑不安地坐上了火车。

或许是因为我害怕露馅，担忧全部写在了脸上，下车时，同学们都很顺利地出了站，只有我一人被乘务员抓了个正着。

尽管我这辈子逃票坐车的经历只此一回，却被当成惯犯，不仅月票被没收，还被处以数倍于正常票价的罚款。并且第二天上学时，在教师办公室的布告栏上，已经张贴了描述整个事情原委的公告。我再一次被老师严厉训斥。厄运就这样再次降临到了我的头上。

后来的遭遇也依旧如是，从初中开始一直到大学，尽管在学习上我都非常刻苦努力，成绩也还不错。但是不管是大学入学考试，还是公司就职考试，我都连连失败，就算自己付出全部努力，最终依然得不到一个令人满意的结果。

在我进入松风工业，成功研制出精密陶瓷材料之前，我对自己的人生几乎是充满了绝望。

我的第一份工作

我们家兄弟姐妹人数很多，所以经济上并不宽裕。父母本来希望我初中一毕业就能立刻开始工作，但是我却渴望升入高中继续学习。我的初中班主任也很赞同我的这个想法。在得知我想要继续读书的强烈意愿后，父亲卖掉了从祖父那里继承的土地，为我筹措了读高中的教育经费。

因为我进入高中学习的机会是如此来之不易，因此一有空我就会尽量协助父母打点生意。我的父亲从“二战”前开始就开办了一家叫作“稻盛调进堂”的小型工厂，专门从事印刷和纸袋生产业务。然而由于战争的破坏，父亲工厂的印刷设备全部毁于一旦。战争结束后在我的提议下，父亲重新开始了纸袋的生产业务。我们从黑市批来纸张，父亲负责裁剪，母亲负责糊纸袋子，有时候，糊纸袋子的工作也外包给我家附近的家庭主妇们。

但这些成品纸袋的销售工作则主要由我来承担。每天下课回到家，我就用自行车驮着这些纸袋，骑行穿梭在各家商店之间。尽管我曾经当过“孩子王”，但是内心胆怯、懦弱的真实本性却并没有因此改变，所以每当在路上遇到亲朋好友时，我都会觉得非常抹不开面子。可是我又必须把家里做好的纸袋及时卖出去，我就不得不硬着头皮继续干这份有如推销员的工作。

在四处推销纸袋的过程中，我逐渐意识到，这样漫无目的、到处撒网似的办法其实效率很低，于是我开始思考能够提高推销效率的方法。在经过冥思苦想之后，我决定把整个鹿儿岛市划分成七个区，按照每天一个区的顺序，轮流去推销纸袋。在我跑遍鹿儿岛市的各个角落推销纸袋的过程中，只要做到严守事先划分好的顺序，那么每周一次，我必定会在相同的时间出现在相同的店铺。当我把这种想法付诸实践后，订单果然源源不断地增加。

此外，我还会专门跑到黑市上去做推销，因为我年纪小，总能得到那些中老年妇女的疼爱，同样能够赢得不少订单。

在此之前，鹿儿岛市内的纸袋销售基本上都被北九州的一家大型纸品批发商垄断。可是我仅仅花了一年时间就把对方挤出了鹿儿岛市场。就这样，我的业务越来越繁忙，到第二年，我甚至雇用了一名比我小两岁、刚从中学毕业的男孩子来帮忙。

后来因为要准备大学入学考试，纸袋的推销工作在我高中三年级时就停了下来。但是我感觉自己正是从推销纸袋中学会了做生意的窍门。

我的父母

我曾经也思索过自己性格的成因。

我的父亲畩市是一个做事本分严谨的人，尽管他知道在黑市上倒卖纸张要远比糊纸袋挣得更多，也不为所动，继续选择糊纸袋这份辛劳的工作。我的母亲姬美倒是希望父亲能够重操旧业，重新开始“二战”之前家里从事的印刷业。然而这需要筹措大笔资金购买新的印刷机器，而为人谨慎的父亲却不愿意背上债务，不管母亲如何苦口婆心地劝说，也没有依计行事。

我自身在从事企业经营时，也将谨慎行事作为最重要方针，并且我也不愿意向外借债。在这些方面我相信是受到了父亲的影响。

与父亲的性格截然相反，我的母亲是一个开朗外向的人。也正是由于母亲这种性格的影响，我不管身处任何困境，都依然会保持乐观向上的态度。

我父亲那一代，家里没有女孩，只有兄弟四人，父亲是家里的长子。我的父亲在读完普通小学后，就到一家印刷厂当了学徒。后来又白手起家，独自创业。我的祖母在我父亲 20 岁那年离开了人世，当时有人提出要给我的祖父七郎续弦，但是祖父认为与其这样，倒不如先给长子畩市讨个老婆。于是我的母亲姬美就在 19 岁时嫁到了父亲家。那个时候，父亲的弟弟们年纪都还小，我的母亲也就自然而然地充当起他们母亲的角色。

父亲在独自创业后，把印刷事业做得有声有色，非常成功，因此就在鹿儿岛的岛津屋敷（日本江户时代萨摩藩藩主岛津家族重臣武士的居住区。——译者注）买了一栋房子，而我就出生在这栋房子里。当我还是小孩的时候，周围还残存着萨摩藩贵族的传统和封建阶级意识。学校的学生名册上，每个学生的名字后面都会特别标明是平民出身还是士族出身。

我曾经听亲戚说过，父亲最小的弟弟在上小学时，有一天带着流血的伤口回到家里。原来我们家边上住着一名教育制度改革前的旧制第七高中的学生，仅仅是因为父亲年幼的弟弟在他边上喧闹了一下，就被这个高中生以“声音太大影响了我的学习”为由痛揍了一顿。

我母亲得知事情的原委后，坚持认为：“即便是第七高中这样名门贵族学校的学生也不能仅仅因为闹腾了一下，就这样随便毒打一个还只是在上小学的小孩子。”因此她强烈要求父亲去向对方讨个说法。可是性格忠厚老实的父亲却以“一定是弟弟自己实在太吵闹的原因”为由，不仅没有去找对方理论，反倒把自己的弟弟给骂了一通。

可是我母亲却并不买周围这些总是自以为是，以贵族身份自居的家伙的账。她看到父亲不出头，自己就一手提把木刀，一手牵着父亲幼弟的手，怒气冲冲地杀到那名高中学生的家门口，对他们叫嚷着："喂，有种你给我滚出来！"

尽管我母亲的这个神勇事迹发生在我出生之前，但是当我听到这个故事时，却丝毫也不感到意外。因为类似的事情，我也同样经历过。有一次我在外面打架打输了，哭着回到家里，母亲询问原因，我答道："我认为自己有理，所以才打的架，但是却打输了。"结果我又被母亲训斥道："如果你自认为有理的话，那干吗要哭着回来？"说完她就把立在墙边的扫帚塞到我手里："你再去打回来！"

当然，母亲也并不总是这样严厉。

每年12月14日，是纪念赤穗义士为主君复仇［赤穗义士复仇事件是发生于日本江户时代中期元禄年间，赤穗藩家臣47人为主君报仇的事件。元禄十四年阴历三月十四日（1701年4月21日），赤穗藩藩主浅野长矩在奉命接待朝廷敕使一事上因受到总指导高家旗本吉良义央的刁难与侮辱，愤而在将军居城的大廊上拔刀砍伤吉良义央。浅野长矩在大殿拔刀一事令将军德川纲吉怒不可遏，立即命令浅野长矩切腹谢罪并将赤穗废藩，而吉良义央却没有受到任何处分。以首席家老大石内藏助为首的赤穗家臣们虽然试图向幕府请愿，却无法实施。家臣们被解散，成为无业浪人。他们忍辱负重，暗中筹划复仇之举。元禄十五年阴历十二月十四日（1703 年 1 月 30 日），大石内藏助率领赤穗家臣共 47 人夜袭吉良宅邸，斩杀吉良义央，将吉良义央的首级供在泉岳寺主君墓前，为主君复仇。事发后虽然舆论皆谓之为忠臣义士，但幕府最后仍决定命令参与此事的赤穗家臣切腹自尽，而吉良家也遭到没收领地及流放的处分。元禄赤穗事件是江户时代的一次重大事件，与“曾我兄弟复仇事件”（曾我兄弟の仇討ち）、“键屋之辻决斗事件”（鍵屋の辻の決闘）并称日本三大复仇事件。尤其本事件中大石内藏助体现出对主君的忠诚，以及执著的信念和超强的忍耐力，为世人津津乐道，至今仍然对日本社会和民族性格产生深远影响。——编者注］的日子，在这一天，鹿儿岛小学四年级以下的学生白天都会被召集到学校的礼堂，学习赤穗义士的忠义。而小学五年级以上的学生则必须从傍晚开始，笔直跪坐在学校礼堂的地板上，聆听校长读诵《赤穗义士传》。尽管鹿儿岛位于日本南部，但是这个季节依然非常寒冷。所以我们这些学生只顾着忍受身寒和腿麻，至于校长说些什么，压根儿就没有心思听。

好不容易熬到晚上十点钟，终于等校长诵读完后我们才能够回家。又冷又饿的我回到家里时，母亲总会在门口等候我。进到屋子里，火炉上已经熬好了母亲早已为我准备的年糕红豆粥，对于刚回到家中，饥寒难耐的我，这真是世间难有的美味。

母亲对于我的这些体贴和关爱，真是说不完、道不尽。我的母亲姬美于 1992 年离开了人世，宛如要追随而去一般，1994 年，我的父亲畩市也离开了这个世界。

第二节　西乡隆盛与大久保利通

西乡隆盛与庄内藩

在鹿儿岛，一直到第二次世界大战结束，除了正规的学校教育，还存在一种以街道为单位各自开展的、被称作乡中教育的独特教育体制。直到现在，我还记得当时到被称为教室的这类机构接受乡中教育的情景。作为启蒙，我在这些地方接触到了日本历史和中国的经典古籍，以及鹿儿岛特有的示现流（又名自显流，是以鹿儿岛萨摩藩为中心传承的日本剑术流派之一，也常被称为萨摩示现流。示现流招数诡异，变化很多，已有400多年历史，开创者是东乡重位。——译者注）剑法。这种教育给我留下最深刻的印象就是对萨摩出生的伟人——西乡隆盛的全面学习。

尽管在此之前对于西乡隆盛的功绩我略有耳闻，但是正是通过接受乡中教育，我才第一次系统全面地了解了他的生平与伟大功绩。而当时学到的那些知识在随后的人生中，不知不觉对我的思想产生了重要的影响。

并且，西乡隆盛与京瓷也并非毫无关联。京瓷集团的社训就取自于西乡隆盛的遗训："敬天爱人。"

1959年，为京瓷的创建提供了相关支援的宫木电机的宫木男也总裁亲自送给我一张写着"敬天爱人"的条幅。尽管这张条幅并非西乡隆盛本人的真迹，只是他人的临摹，但因为恰好是我非常喜欢的座右铭，我立刻就把它装裱起来，挂在了公司的会客室里，并且决定以此作为公司的社训。

而很少为世人知道的是，西乡隆盛死后，首先将他生前言论整理出来，编纂成《南洲翁遗训》的，却是作为德川幕府亲信的庄内藩武士们。

戊辰战争［1868年（戊辰）1月3日，日本明治天皇颁布《王政复古大号令》，废除幕府，令幕府将军德川庆喜“辞官纳地”。德川庆喜不遵，撤回大阪，于1月27—30日率1.5万幕府军与以萨摩、长州两藩为主力的5000人政府军在伏见、鸟羽激战，庆喜败退。戊辰战争就此开始。政府军乘胜继续讨伐幕府，5月3日，江户“无血开城”。11月，东北地区诸藩降服。翌年6月，北海道被平定，戊辰战争结束。戊辰战争使日本摆脱了落后腐败的幕府封建统治，为日本建立统一的近代国家奠定了基础。——编者注］时，庄内藩与因白虎队［江户时代末年（1868年）打倒德川幕府的倒幕势力和维护幕府的旧幕府势力之间发生战争，历史上称之为“戊辰战争”。旧幕府势力在各地不断战败，其中幕府的支柱之一会津藩也成为战场。会津藩势力尽全力抵抗，其中由16—17岁的少年组成的军队被称为“白虎队”。若松城战役时退至饭盛山的“白虎队”20名队员站在饭盛山顶远望被战火包围的鹤城，以为城池已破，主君阵亡，于是全体在饭盛山顶自尽，只有一位生还，因此，“白虎队”的故事才广为人知。

至今饭盛山周边还流传着关于“白虎队”的武士道佳话。——编者注］闻名于世的会津藩等奥羽越列的诸藩军队一直和官军激战到最后一刻，最终才向以萨摩藩为主力的政府军投降。

作为政府军统帅的西乡隆盛，在获胜之后，率领手下部队驻扎在庄内藩鹤岗城下时，将手下士兵的佩刀全部收缴，只允许他们空手入城。西乡隆盛这么做是因为萨摩的士兵们是经过激烈鏖战才最终获得胜利，现在依然还处于极度亢奋的状态中，一旦入城，很有可能胡作非为，因此必须做到防患于未然。并且一般说来，在取得胜利后，战胜方理因收缴战败方的武器，可是西乡隆盛为了维护庄内藩武士们的自尊心，反而允许他们继续随身带刀。西乡隆盛的这种做法令庄内藩的众人全都颇感意外。

西乡隆盛的这种处理方法不仅使得庄内藩的失败者们对获胜者的仇视一扫而光，并且让他们对于原本是敌军统帅的西乡隆盛产生了极度敬仰，甚至有人想要拜他为师。在庄内藩的年轻武士中，有不少人都产生想要向西乡隆盛直接请教的愿望。

虽然在戊辰战争结束后，西乡隆盛被日本新政府任命为陆军大将参议的要职，但是西乡隆盛和众多年轻的日本人满腔热情、浴血奋斗所建立的这个新政府的所作所为，却逐渐与他们的预期背道而驰。

对此感到失望的西乡隆盛后来因为“遣韩论”与政府产生对立而下野，重返鹿儿岛。众多因为参加维新运动而在新政府获得职位的鹿儿岛士族，出于对西乡隆盛的仰慕，也与他一同辞职，回到了家乡。西乡隆盛为了不让这些人误入歧途，于是决定兴办教育，在鹿儿岛建立了私立学校，全身心投入到青少年的教育工作上。

庄内藩的年轻武士们基于对西乡隆盛的景仰，都聚集到了这所鹿儿岛私立学校。并且传说甚至连原庄内藩的藩主，也在重臣的陪伴下慕名上门向西乡隆盛讨教。私立学校的学生们在跟随西乡隆盛学习的过程中，对于日本新政府的愤懑之情也与日俱增，并最终爆发。他们发动暴动，袭击政府弹药库，夺取武器弹药，公开宣言要打倒日本新政府。

据说西乡隆盛本人并没有任何要发动反政府起义

的想法。当起义爆发时，他正在大隅半岛的山里，牵着猎犬打猎。在得知学生起义的消息后，他匆忙赶回鹿儿岛，他在训斥了学生们的莽撞后，却又慨叹道："既然众意已决，事已至此，我唯有以己命相奉。"由此把自己的命运交给了自己的学生，决意要与自己的学生同生共死。

西乡隆盛在明知毫无胜算的情况下，依然率兵出征，向熊本城的镇台（也就是后来的师团司令部）发动进攻，并进一步谋划北伐。然而，起义军在田原阪被政府军击败，西乡隆盛后又率众撤回鹿儿岛，最终在城山结束了自己的生命。

在这场被称为西南之役的战争中，庄内藩的武士闻讯后，有人立刻急赴前线，加入西乡隆盛的部队。并且还有很多曾经在西乡隆盛的学校学习过的庄内藩武士，不顾西乡隆盛的制止，毅然从军，并战死沙场。这些不争史实都显示出庄内藩的武士们是如何为西乡隆盛所倾倒。

西乡隆盛就是这样一个甚至能够让被自己打败的对手都崇拜敬仰、具有宽广度量的伟人。

《南洲翁遗训》所展示的无私胸怀

虽然西乡隆盛由于这场西南战争一度被冠以叛乱者的罪名，但是在他死后不久，就得到特赦，并被平反昭雪。庄内藩的武士们在西乡隆盛获得日本政府特赦之前，就已经为了纪念他而着手编撰了《南洲翁遗训》。西乡隆盛的这本遗训集充分展现了他的哲学思想，对我本人也产生了极其深刻的影响。正是由于这本遗训集超越了时代，依然适用于当今时代，因此我在这里想要专门摘抄数段加以介绍。

（注：本文中引用的遗训全部引自于财团法人西乡南洲显彰会于1992年发行的《南洲翁遗训》）

“立庙堂为大政，乃行天道，不可些许挟私。秉公正，踏正道，广选贤人，举能者执政柄，即天意也。是故，确乎贤能者，即让己职。于国有勋然不堪任者而赏其官职，乃不善之最也。适者授官，功者赏禄，方惜才也……（后略）”

译文：“在政府中执国家之政是行天地自然之道。

行事不应挟举半点私心。所以不论何事都要秉持公平，依循正道，广举贤明之人，让能忠实履行职务者执掌政权，方为天意，换言之，就是遵循神灵的旨意。所以，若有真正贤明且适任之人，应该立即将自己的职位相让……（后略）”

西乡隆盛的这个观点也同样可以用于企业的经营管理。

比如说，公司里有一些人，虽然自身没有多少能力，但是从公司起步之日起，他们就为公司的发展吃苦耐劳，付出了辛勤的努力。正是由于他们的奉献，公司才能够成长壮大。当有一天公司终于站稳脚跟、打开局面、能够实现上市时，是否因为这些员工过去为公司做出了贡献，就将他们放到公司的重要主管岗位上呢？在这个问题上我的做法完全是按照西乡隆盛的教诲，并不把他们提拔为公司主管，而是给予相应资财作为奖赏。即便在不得不给予他们晋升待遇时，也不应该赋予他们超过自身能力的职位。

接下来，我想继续介绍一点同样超越时代、适用于现今社会的西乡隆盛思想。

“位万民之上者，慎己，正品行，戒骄奢，勉节俭，勤职务，为人民之楷模。下民若不怜其辛劳，则政令难行。然草创之始，华屋，锦服，美妾，谋财，维新之功业终难成也。今戊辰义战既成营私之态，念此，无颜以对天下及战死者，泪频催也。”

译文：“位居于众多国民之上者，应努力做到时刻谨言慎行，戒骄戒奢，图节俭，戒浪费，谦恭朴实，勤于本职，励精图治，成为民众的楷模。一般民众若不为领导者的勤奋工作和简朴生活所感动，不时对领导者起怜恤之心，则政府的命令就难以得到执行。然而，现今虽为维新之业始创，有些人却将家里装饰得甚为奢华，平日也锦衣玉食，更有美妾相伴。而整日脑中盘旋的也只有敛财之道，完全无法实现维新的真正目的。事到如今，戊辰之战这一正义的战争也俨然沦落为只图满足私欲之结果，西乡念及此事，深觉无颜面对国家，面对战争中的牺牲者，眼泪长流。”

事实上，建立在第二次世界大战惨痛代价之上的现代日本社会的现状，完全与西乡隆盛的这番话同出一辙。并且从公司经营的角度来看的话，这也提醒了企业经营者在任何时候都必须做到身先士卒。作为企业经营者，如果无法全力以赴以超于常人的毅力投入到工作中，让手下员工产生“再也没有像我们老板这样埋头事业，工作起来彻底无私忘我”想法的话，那么经营者向员工们做出的指示和命令就难以得到彻底实施和执行。

“薄租税以裕民，即养国力也。故纵国事繁杂苦财用之不足，确守租税定制，损上而不虐下也。试观古今之事，道不明之世，苦财用不足之时，必用曲知小慧之俗吏，巧聚敛，以解一时之欠乏，俨然擅理财之良臣，以手段苛酷虐民，人民不堪其苦，欲避聚敛，自趋谲狡猾者。上下互欺，官名敌仇，终至分崩离析乎。”

译文：“减少税赋以富裕国民，这才是培养国力。所以，即便国家事务繁多，苦于财政不足，也应严守税收制度的规定，上级阶层承受损失而不可虐待下层民众。试观古往今来的历史。在道理未被明确贯彻的社会中，国家为财政所苦时，必会利用行为偏执、会耍小聪明的下层官吏，以恶劣狠毒之手段征收赋税，以填补一时的财政不足，而且还夸他们是擅长财政的好官。这类小官玩弄手段，残酷虐待国民，人们不堪重负试图逃避这些不当之税，自然开始挖空心思编造谎言，人性也随之变得狡猾阴险，上层下层互相欺骗，官吏与国民水火不容，最终将导致国家分崩离析。”

官僚组织追求的终极目标理应是实现人民的幸福，也就是说为了建立一个让社会大众拥有高度幸福感的国家，就必须尽一切打造一个低成本、高效率的行政组织。

换句话说，政府公职人员们必须不断努力，尽可能地构建一个低赋税的小政府。然而让人遗憾的是，日本政府的现状恰恰就是西乡隆盛在明治维新时期曾经想要极力避免的那个样子。为了维持现在这个庞大的政府，政府官僚们想尽各种毫无道理的借口，无视民众意愿，不断增加民众赋税。我希望日本的政治家们都能够认真学习西乡隆盛的这一番话，拿出勇气，果断推进日本的行政改革。

“道乃天地自然之道，故讲学之道，在于敬天爱人，以克己修身为终始也。克己之真义在‘毋意、毋必、毋固、毋我’（语出《论语》）。凡人皆以克己成，以纵己败。观古今人物，事业初创之人其事大抵十之成七八，余二三终成者稀。盖因初能谨言慎行，故功立明显。然不觉爱己之心起，恐惧慎戒之意弛，骄矜之气渐涨。即成事业，苟信己万般皆能，则陷不利而事终败，皆自招也。故克己，人未睹未闻处慎戒也。”

译文：“所谓道，是天地固有之理，所以治学应以敬天爱人（这里的天可以解释为神灵，但做‘天道’理解似乎更为恰当。换言之，恪守天道即是敬天；而海内皆兄弟，故以仁之心爱众即为爱人）为目的，时刻谨记克己以修身。克己的真正目标是《论语》所言之‘毋意、毋必、毋固、毋我’（不主观，不独断，不固执，不唯我）。凡人皆因战胜自我而成功，因放纵自我而失败。以历史人物为鉴，事业始创时，多数人能出色达到目标的十之八九，而能圆满完成余下二三成的人则屈指可数。究其原因，最初能自我约束，谨言慎行，从而功成名就。然而，功成名就后不知不觉生起爱己之心，谨慎、畏惧的神经松懈，开始骄傲、得意忘形起来，事业既成便自以为干什么都不费吹灰之力。这种过分的自信会把事情搞砸，最终导致失败。这一切都是自作自受。所以，最重要的是战胜自己，哪怕是独处时、无人监督时也能自律、自诫。”

西乡隆盛的这番话实在是于我心有戚戚焉。比如在那些创业型的经营者里面，有许多人都是踌躇满志、雷厉风行的人物。然而这些创业者即便能够暂时获得事业上的辉煌，可是在成功之后能够一直将这种势头保持下去的人却寥寥无几。究其根源，完全是最初的成功使得他们产生傲慢、奢侈之心。如果一个人开始变得骄傲自大，只为自身私利做打算的话，那最终必然会遭遇失败。企业经营者若是不能不断提高心性，磨砺品格的话，那也就无法将自己的事业永远推动下去。

“爱己为最不善也。修业无果、诸事无果、诸事难成、无心思过，伐共而骄慢生，皆因自爱不起，故不可偏私爱己也。”

译文：“爱己，即只图自己顺心从不顾念他人，这种私心最为不善。修业无果，事业无成，不思悔改，这些均由过分爱己而致，所以绝不能做这种自私自利之事。”

当前日本社会出现的各种乱象，应该说正是这种利己意识肆意泛滥的结果。日本政商各界不断发生的各类丑闻，也正是源自因为贪图个人或者自身所在组织的利益而产生的私心杂念，并且这种私心在普通大众之间也开始蔓延。正如西乡隆盛所说的：“人心的荒芜正与日俱增。一个人只要以私心为重，就不可能成为一个真正的人。”日本各界的领导者们现在就应该立刻觉醒，摒弃“爱己”之心。

“不惜命、不图名，亦不为官位、钱财之人，困于对也。然无困于对者共患难，国家大业不得成也。”

译文：“不惜生命，不图名誉，也不为官位与钱财之人，是很难对付的。然而，若非与此种难以对付的大人物共同分担忧虑，则难成国家大业。”

也就是说，领导者必须远离私心己欲，以人间大义为标准，在心中树立正确的价值坐标轴。

看到这里，我在为今天的日本找不到一位如西乡隆盛这样的，勇于牺牲自我，具备彻底利他精神，甘愿为世人奉献的领导者而感到深深遗憾的同时，也再一次被西乡隆盛的宽大无私深深地打动。

以上就是我从西乡隆盛遗训中摘选出的几段格言。这些内容全部昭示了作为一个堂堂正正的人所应该具备的正确思想和理念。我相信正是因为西乡隆盛拥有如此超凡脱俗的哲学，才能够成就明治维新的伟业。而我本人今后也将会继续学习西乡隆盛的哲学，并将其付诸人生的实践中。

向大久保利通学习

与西乡隆盛同时代的，还有一位与他一道共同推动明治维新的大人物，那就是大久保利通。虽然大久保利通与西乡隆盛同样出生于鹿儿岛的加治屋町，并且都是明治维新的功臣，可是，我小时候在接受前面说过的鹿儿岛乡中教育时，却不记得听到过任何与大久保利通有关的内容。之所以会这样，是因为在西南战争中让西乡隆盛落败的罪魁祸首正是大久保利通，因此他在鹿儿岛是个很不受欢迎的人物。

在西乡隆盛去世一百年之际，鹿儿岛全县开展了募捐活动，为西乡隆盛修建了一座巨大的铜像。当时曾经有人提出也要为大久保利通建立铜像，可是却没有得到公众的支持。最后是在经过好一番波折之后，才在鹿儿岛加治屋町的一个角落里，给他立了一座铜像。尽管明治维新已经过去了 130 年，但是大久保利通依然无法赢得鹿儿岛人的敬仰和爱戴。

这其中一个重要的理由就是，大久保利通被公认是一个冷酷之人。

举例来说，在萨摩地区，人们都喜欢搞裙带关系。鹿儿岛人只要一有点本事，就喜欢提拔任用自己的亲戚朋友。然而大久保利通对于鹿儿岛来的朋友即使是熟人都很少搞“一人得道，鸡犬升天”这一套。即便是他的老朋友登门拜访，也往往会吃闭门羹。因为西乡隆盛也曾经讲过“小私亦不可挟”，所以西乡隆盛自己也必然是一个绝不任人唯亲的人。但是因为西乡隆盛的温厚为人，因此我相信他是绝对不会让人吃闭门羹的，想必一定会在别的方面体恤对方，给予照顾和帮助。

1990 年，NHK 决定要播放大型电视连续剧《宛如飞翔》时，相关人士曾经专门来咨询过我。他们是想了解，我对于在电视剧里“将大久保利通与西乡隆盛互为对照进行表现的方式是否有意见”。

西乡隆盛和大久保利通当然是截然不同的两个人，但是我绝对不会将他们做单纯的比较。这是因为，我并不认为通过简单的比较可以分辨他们哪一方更加正确或者错误。大久保利通当时肩负起了让西乡隆盛感到失望的日本新政府的这副重担，全力投身于一个崭新国家的建设之中。正如西乡隆盛所悲叹过的，在当时日本的新政府里，充斥着利欲熏心之徒，然而大久保利通却在巧妙地与这些人进行周旋并建议利用的同时，为日本搭建起了中央集权型强力官僚组织的基本框架。

正是由于有像西乡隆盛这样具备杰出哲学理念、心怀人间大爱的领导者，在推动明治维新的进程时，他才能够引领众人，将明治维新这样的革命引向成功。然而与此同时，像西乡隆盛这样的人，却又缺少足够的专门能力，以便在妥善协调各方利害关系，对于新的国家体制逐一进行细致的验证修改的同时，构建起庞大的国家组织。举例来说，为了建设一个新的国家，领导者就必须具备对各种政策方案进行检讨并立案的逻辑性，以及将各类方案付诸实施，并适时调整的卓越行动力。但是西乡隆盛的性格在冷静策划，并以此做出正确判断的能力方面有所欠缺，而大久保利通却恰恰擅长此道。

回首我自己的人生，也有许多相同的感受。在我创办公司之前，我曾经为西乡隆盛的人生态度和思想所倾倒，但是当我自己开始创建公司，在亲自开始从事企业经营活动之后，才意识到企业经营仅靠西乡隆盛那样的人生态度是不足为续的。企业经营与国家运营本质相同，不仅需要对未来的展望和理念，同样也必须具备正确合理的行动力。我是在自己成为一名企业经营者后才认识到大久保利通的不凡之处。在我内心世界，有着对于西乡隆盛那样激情澎湃的人生态度满心敬仰的一面，这是因为我的性格在本质上与西乡隆盛完全相同。然而当我开始从事企业经营活动后，逐渐意识到了大久保利通所体现的逻辑性和合理性这些我自身有所欠缺能力的重要性，并努力在日常经营活动中予以留意。要知道，仅仅只靠西乡隆盛的“志”和“诚”是不足以维系企业的有效经营的。

然而与此同时，如果经营者只注重大久保利通的“合理”和“逻辑”，那么同样难以获取人心，引领团队。我的心得是，明治维新之所以能够取得成功，正是他们这两位历史人物的存在，才使得冷酷与温厚、细心与大胆这两个极端得以同时合为一体。

这种将“两个极端合为一体”既不是指那种左右

逢源的圆滑，也并非指中庸。

举例来说，一名经营者，即便在自己遭到整个管理层一致反对的情况下，也依然必须能够坚定自身信念，以“虽万人吾往矣”的气概勇于决断。可是与此同时，又必须能够虚怀若谷，认真倾听每一位员工的意见，并虚心接受。即便是对于自己已经制定的计划，在必要时也能够毫无顾忌地予以撤回。并且经营者对于部下，既要有“挥泪斩马谡”般的严厉，也必须有“菩萨”般的仁慈心肠。从这种意义上说，一个能够成为真正领导者的人就必须具备将两个极端合为一体的能力。

对于这种观点给出最精确定义的，当属美国作家F.S. 菲茨杰拉德（F.S. Fitzgerald）所说的：“所谓一流的才智，就是能够在心中怀有两种相互对立思维的同时，又能保持正常运作的能力。”总而言之，如果一个人能够同时具备各为极端的两种思维理念，然后根据实际状况的不同予以正确的区别和运用，那么这样的一种人格才能算作真正出类拔萃的人格。

一个普通人如果同时在心中拥有各为极端的两种

相反思维理念，那么或许容易自相矛盾，产生混乱。但是作为领导者，则需要有能力在化解这种矛盾的同时，根据不同情况将两种不同思维理念加以区分，进行运用。

在明治维新那个时代，在我的故乡非常幸运地同时诞生了西乡隆盛和大久保利通这两位思维方式和个性都截然不同的伟人。作为同乡，我在对他俩怀有亲近感的同时，更从他们二人那里学到了许多与人生和事业有关的重要教诲。

第三章　为什么哲学对于经营必不可少

基于原理原则进行判断

我一向主张经营者必须确立能够用作判断基准的“哲学”。这是因为经营者在进行日常的企业经营活动时，为了确保正确无误的航向，需要在任何时候都能够做出正确的判断。

这就如同我们在现实中，既能看到运营状态良好的企业，也能看到运营状态不佳的企业。或者既能看到有的人拥有精彩辉煌的人生，也能看到有的人度过黯淡无光的人生。那么，这种差别的根源究竟又是什么呢？

在我看来，不管是企业的经营，还是个人的人生，都是不断积累的诸多判断的最终结果。而促使一个经营者做出这些判断的基准，则强烈反映出了他的思维方式。

也就是说，不管是企业经营，还是在人生道路上，我们总会面临各种各样的十字路口。每当我们站在这些分岔路口，必须就如何选择方向进行判断时，能否做出正确的决断就必然决定了企业经营，或者个人人生的最终结局。

在我创办京瓷之初，只不过拥有一些作为技术人员的经验，就算当时我已经具备了研究开发新产品的能力，但是对于企业的经营之道却是一窍不通。我是从开始参与新公司的经营活动时起，才第一次接触到了资产负债表之类的东西，也就是说，我最初对于企业的经营可以说是一无所知。

而且我自己也没有任何身为企业者的亲戚或者熟人，身边没有任何人可以进行商讨请教。然而公司下属们却又不断需要我在各种问题上做出相应的决定，这就让当时的我深受困扰。与此同时，为了维系一家才刚刚呱呱坠地的公司实现有效的运营，我又必须只能做出正确的判断。那个时候，一想到如果我做出了错误的决策，那么公司就会立即陷入绝境，就总是让我感到寝食难安。

对于企业经营原本一无所知的我，不得不开始费尽心力思考如何才能维系企业的有效经营，应该以什么来作为基准协助我进行判断。

在创业之初，对于企业经营一无知识、二无经验的我，在万般无奈之下，又回过头，将自小从父母和长辈那里受到的表扬和批评中所领悟到的那些最基本的伦理价值观念作为自己用来进行判断的基准。也就是说，重新回到为人处世的基本原点，也就是“哪些是作为一个人可以做的事，哪些是不可做的事”“什么是善，什么是恶”等为基准，针对每件事情做出相应的判断。

换而言之，在尊重正义、公正、勇气、诚意、谦虚以及爱等作为一个人理所应当遵守的基本价值观的基础上，再进行必要的判断。我坚信以上这些标准既是作为一个人所应该具备的最基本的道德律，同时也由于我从小接受的就是这样的教育，因此我在执行起来也不会有任何动摇。我认为，只要基于这些标准进行判断，那么即使是在处理陌生事物时，我们也不容易走上弯路，做出错误判断。

我信奉“人之初，性本善”的观点。然而，与此同时我们又必须看清人性的软弱，容易为自身的欲望所俘虏，为周围的环境所诱惑，并因此而陷于虚荣之心，在不经意间，浑然不觉地走上一条与人间正道背道而驰的道路。

并且，人总是倾向于以自我为中心的思维模式，并在此基础上采取行动，最终导致自身变得骄傲自大，丧失谦虚之心，乃至对他人生起嫉妒与仇视之念。

像这样的一种“邪”心是绝对无法做出正确的判断的。我们每一个人都应该尽一切可能不以“自身”好恶，而以具有普遍性的“为人正道”为基准进行判断，做出决策。

现在回顾起来，当初没有任何企业经营经验的我，正是在遵循这样一种最基本的伦理观和道德律的前提下推动企业发展，才最终成就了今日的辉煌。

如果我当初拥有的都是一些轻浮浅薄的经营知识和经验，那么我大概只是把那些经验规律和经营技巧而不是“人间正道”作为自己在经营企业时的判断基准，并且我大概也不再可能会那样辛勤付出，而光是一心指望通过轻松便捷的方式发家致富。如若如此，就势必不会有今天的京瓷。

人生与事业的方程式

我用了一个方程式来说明这种思维方式的重要性，这就是“人生・事业的结果 = 思维方式 × 热情 × 能力”。

在“思维方式”、“热情”、“能力”这三个因数当中，“能力”既包括个人的才能与商业才能，也包括身体的健康程度。因此这种“能力”代表的是先天因数，是无法改变的。

“热情”则是指不屈不挠的执着愿望，这个因数则依据个人心态的转换而具有可变性。

“能力”和“热情”都可以从 0 到 100 给予不同的

数值加以衡量，如果将两者的数值相乘，一个心怀谦虚之念、认为自己没有太大能力因此甘愿付出超于常人热情的人，或许能够比那些自认为拥有不凡能力而放松懈怠、不愿努力的人获得更加耀眼瞩目的结果。

然后再将上面的结果乘以“思维方式”，那么不管是人生还是事业的结果都可以就此确定。这里所谓的“思维方式”是指一个人心中对于人生和事业的思想态度，并且这个“思维方式”打分范围是从负 100 到正 100。

简而言之，愤怒、嫉妒、仇恨、不满等消极否定的思维和念头为负值，而积极向上、能够体谅关怀对方的美好心态和意愿则为正值。

由于我的这个方程式是一个乘法公式，并且非常重要的一点是：“思维方式”可以为正，亦可以为负。因此如果一个人无法坦率认真地面对世间事物，陷入消极负面的“思维方式”的话，那么他越是有能力，越是有干劲，其人生结果越是容易陷入更加不幸的境地。总之，为了拥有精彩人生，获得事业上的成功，我们必须尽一切可能让自己具备高层面的“思维方式”。

逐利有道

如果细读历史，我们依然会深切感受到哲学对于企业经营的必要性。

在日本江户时代中期，有一位叫作石田梅岩的思想家，这位石田梅岩曾在和服店当过学徒，后来在京都开设了一家私塾，教授心学，他以通俗易懂的语言，向普通市民传授为商之道。

正如士农工商这个词所体现的，在当时日本所处的那种封建时代的阶级制度中，商人在社会上被列为身份最低的阶层。商业行为也受到蔑视，然而石田梅岩对此发出了相反的声音。

由石田梅岩开创的“石门心学”在当时赢得了大众的认可，他的许多弟子紧紧追随他，在整个江户时代的日本，掀起了一场民间层面的社会教化运动。

石田梅岩曾经说道：“获利本为商贾之道，商人买卖之所得利，与武士之俸禄同。商者无买卖之得利，若武士无俸禄者同然。”这也就是说：“买卖行商并非卑劣的行为，商人赚取利润与武士获取俸禄在本质上没有任何区别。”石田梅岩想要向那些因为广受世间蔑视而自感卑微的商人传达的信息是：“要拥有自信。”

然而，在石田梅岩的诸多思想中，我认为最重要的一点是“必须正直行商”。石田梅岩主张商人绝对不能通过卑劣的手段和不正当的方法追求利益。他在为自感卑微的商人找回勇气的同时，也警戒那些不择手段的商人们必须“堂堂正正从商”。

同时，石田梅岩还进一步地指出了商业行为的真髓，这就是：“真正之行商者，谋人我两利。”也就是说：“一个真正的商人追求的是买卖双方利益兼顾。”石田梅岩的时代恰逢日本商业资本主义的勃发期，石田梅岩可以说正是作为那个时代的思想奠基人，登上历史的舞台。

此外，我曾经与住友生命保险的新井正明名誉董事长进行过对话，听他讲解介绍住友的第二代总理事伊庭贞刚的事迹。伊庭贞刚是一位非常杰出的人，他曾经撰写过一本名叫《宗门无尽灯论》的禅书，在这本书中，他反复引用了“君子爱财，取之有道”的古语。

尽管这句话的意思就是“逐利有道”，然而我认为不仅在追求利润时，在使用利润时我们也依然必须选择正确的方式。总而言之，“逐利有道，散利亦应有道”。

对于任何一家企业，追求利润、谋求自身发展都是天经地义、理所当然的事。但是我们在追逐利润的同时，又必须遵守人类社会普遍的道德法理，绝对不能利用欺骗、误导、榨取等邪恶的方式来谋求自身利益。

即便是通过正当方式获得的利润，在使用时也同样应当遵循正确的道德法理。不能够用这些获得的利润来满足自身的私利私欲，而应该把它们用在社会和大众身上。

一个人只有将企业的经营活动立足于上述这种正确的思维方式，才能够被社会认可，经营者自身也才能够拥有自信，阔步向前，走向最终的成功。

内村鉴三的《代表性的日本人》所展示的寓意

生于明治时期的日本宗教家内村鉴三（1861—

1930，日本明治时期著名的基督教思想家和文学家。以不畏当时正沉湎于军国主义思潮的日本政府和社会的苛酷批评和打压，坚持自己的和平反战理念而著名，以基督教的普世原则批判日本，以及日本政府发动的甲午战争和日俄战争。——译者注）著有《代表性的日本人》一书。这本书是内村鉴三在明治末期为了向西方各国介绍日本，用英文撰写的著作。他在书中选取了西乡隆盛、上杉鹰山、二宫尊德、中江藤树、日莲上人等五位具有代表性的日本人，以他们的事迹向世人宣扬日本人的美德。

通过这本书，我对二宫尊德有了更深的了解和学习，并从中得以确信，对于企业经营和人生而言，“思维方式”是至关紧要的一点，而其中最为重要的当属诚实和勤勉。

二宫尊德是活跃于日本江户后期的农业实践家，他通过宣讲道德理念，使得六百个几近荒芜的贫困村落，变貌为丰衣足食的富饶之地。

二宫尊德据说是一位终其一生每天只睡两个小时的勤奋者。或许这要归功于他健壮的身体，但毫无疑问，他同时也必定拥有超于常人的美好心性。

为了让大家能够进一步认识二宫尊德是怎样一位伟大且拥有美好心性的人，这里我引用几段《代表性的日本人》一书中的原文来加以说明。

“热情如彼（二宫尊德）者，为诸事若不能倾尽全心，则为罪也。”

译文：二宫尊德是一个“充满满腔热情，不管做任何事情都要倾尽全部身心，否则必自以为罪”的人。

“若图转祸为福，唯至诚一道。智谋术计，非所及也。”

译文：二宫尊德是一位始终诚实不欺之人，他说：“想把灾祸转换为幸福，只有真诚一种方法。无论如何聪明的头脑，即便想尽各种权谋计策，也不能与之相比。”

“彼心无术策亦无谋略，其至简之信仰为‘至诚所感，天地为动’。”

译文：二宫尊德坚信“对自身而言，心中毫无任何术策与谋略，唯一一个坚定而不动摇的信念就是，自己的真心与诚意能够感动上天”。如果我们无法实现心中的目标那是由于我们的诚意不足，只要我们具有足够的诚意，必然能让上天感动，帮助我们成就事业，实现心中的愿望。

我本人也有着与二宫尊德完全相同的想法。尽管有许多人都认为在进行企业经营活动时，权谋术数不可欠缺。但实际上根本就不是这么回事。只要我们今天能够勤勤恳恳、兢兢业业地辛勤工作、努力奋斗，自然就会拓开一条康庄大道。并且我相信只要能够坚持堂堂正正的为人处世之道，我们的命运也就必然会是一片坦途。事实上，在我参与京瓷与 DDI（即第二电电公司，现更名为 KDDI。——编者注）的经营活动，辛勤操劳的日日夜夜里，自然而然地就能发现并做出正确的判断，并最终创造出辉煌的成果。

因此作为我来说，就不得不相信是自己的真挚热情感动了上天，从而向我伸出了援助之手。

“一人之心虽微不足道，其至诚所至，鬼神为之所感，天地之大，亦为之所动。”

译文：二宫尊德说：“一个人在毫无保留地付出了所有的真诚之后，不仅能够感动鬼神，甚至连天地也能为之所动。”

京瓷成立的时候，当时在陶瓷材料领域早就已经有了好几家具有悠久历史的同行大企业。这些强大的竞争对手全都拥有卓越的技术研发能力，雄厚的资金财力，以及当时最尖端的生产制造设备，并且也都已经是上市公司。对于当时在人员、设备、财力等方面全部都难以望其项背，并且几乎毫无市场知名度的京瓷而言，这些对手都宛如巨人一般。

此外，这些大企业都聚集了大量的陶瓷材料专业的优秀人才，与之相比，才刚刚起步的京瓷，人才极度匮乏。

但是我们在成立之后的漫长岁月里，不知疲倦、毫不懈怠，付出了超于所有竞争对手的努力，在这些饱含真诚、忍耐、踏实的努力的不断积累之下，京瓷最终在陶瓷材料领域成长为业界首领，同时公司业务不只限于原材料、零部件以及成品供应，还进一步通过子公司扩展到了通信服务领域，并使京瓷最终成为一个世界性的优秀企业集团。

回顾京瓷的历史，绝不是依靠优秀的技术研发团队不断开发出跨时代的新产品而成长壮大起来的。它的成长依靠的是全体社员的齐心协力，遵循着人间正道，勤奋热情，一步一步坚定踏实地走到了现在。

像京瓷这样一家作坊小厂，通过一小步一小步的坚实发展，最终成功凌驾于那些历史悠久的大型竞争对手之上。在我看来，这个过程实质上与基于自身真诚，仅靠一把铁锹让贫困村落变为富裕村庄的二宫尊德具有异曲同工之处。看上去近乎于愚钝的诚实与坚韧的努力，最终却成为成就伟大事业的重要根基，京瓷本身的历史正是对这个道理做出的最佳证明。

探求人的本质

如前所述，不管是对自己的个人生活，还是企业的经营管理，我都基于普通人理应具备的正确思维方式，通过生活中不断付出的真挚诚实的努力，秉持极端克己的严肃态度一路走来。对于我的这种人生态度，有许多人感到迷惑不解，他们诧异于，“为何你要选择这样一条艰辛的道路？你完全可以过得更加舒适些”。甚至还有一些人对于我的做法提出驳斥，他们认为，“仅靠思维方式是不可能妥善解决经营和个人人生问题的”。

为此，我对人的本质乃至这个宇宙的法则都进行了深刻思索。

1994年4月3日的《日本经济新闻》的读书栏目“读书日记”，登载了日本女演员岸田今日子撰写的投稿。

这篇文章提到，日本的伊斯兰教学者兼哲学家井筒俊彦先生曾经通过瑜伽的冥想修行，在试图探寻个人存在的时候，进入了下述这样一种境界。

通常我们每一个人非常在意区别自我和异己，然而“当意识进入更深层次时，所有的诸种境界顿然消失，意识陷入一种只能被称作为‘存在’的状态。也就像我们平时会认为‘鲜花是实存的事物’，然而事实上或许我们更应该说‘存在显现出了鲜花’”。

这种有些类似于禅宗问答式的内容被记载在了井筒俊彦先生自己撰写的著作当中。

通常，人的意识是一种极其粗糙的东西。但在进行冥想时，随着一边调整呼吸，一边念诵咒语，我们的意识会逐渐变得精深细妙起来，并最终进入一种无限接近透明感的状态。此时，我们原来所拥有的五感会全部消失，意识变得极端沉稳，并产生豁然明了的感觉，最终仅仅只剩下在这个世界中“我存在于此”的实感。与此同时，我们也会发觉，自身周围包罗万象的一切事物也都只不过与自己同样，仅仅只是由存在而生成。

我相信井筒先生自身一定是有过这种切身体验，因此他才会在探寻“人为何物”的实践当中真实感受到，包括自身在内的所有世间万物都是由“存在”这种东西演化而成，因此他才会以“只能是一种被称之为‘存在’的状态”的说法来表现自己的体验。

此外，我的朋友，也是现在正担任着国际日本文化中心所长一职的心理学家河合隼雄先生对于井筒先生的这种说法深有同感，以至在他自己的著作《谈天说话》中（朝日新闻出版社出版发行）特意写道，“如果你演化成为鲜花，那么我就是演化成了河合隼雄”。这也就是说，同一个被称之为存在的事物，既可以显现为鲜花，也可以显现为河合隼雄。

我曾经数度拜访天台宗山田惠谛住持，并从这位住持那里得到了“山川草木悉皆成佛”的开示。这正是天台宗教义的根本之所在，无论山岳、河川、小草、树木，世间森罗万象的所有事物中都有佛所依。

并且，据说在印度南部有一位名叫赛巴巴（Sathya Sai Baba，1926—2011，印度著名的宗教家、教育家，是一位受到广泛尊奉的精神导师，在世界各地拥有为数众多的信徒。——译者注）的宗教家，他公开宣称自己是“神的化身”，并在全世界范围内得到了众多信徒的拥戴。当赛巴巴的信徒向他请教“你既然是神的化身，那么我们又是什么呢？”时，他的回答是：“毫无疑问，你们所有人同样也都是神的化身，但是我与你们各位之间唯一不同之处在于，是否意识到了自己是‘神的化身’，我本人已经意识到了自己就是神的化身，而你们大家却还没有意识到这一点。”

井筒先生和河合先生将世间森罗万象的事物称为只是一种存在，天台宗说一切事物皆有佛在，而赛巴巴认为看似普通的个人，实际上都是神的变身而已。总而言之，他们想要表达的共同意思就是一切众生都来自同源，实为同物。

然而，尽管世间所有一切都是完全相同的存在，可是当我们今生降临在这个世界时，却会显现出各自不同的形态。以我们个人为例，彼此容貌千差万别，才能和性格也大相径庭，有的人能够事业飞黄腾达，而有的人却终日劳劳碌碌，一无所得。为什么本应是相同的存在，却会产生如此千差万别的差异呢？

此时此刻，在当下这一瞬间，地球上生活着大约60亿人，但是在如此多的人中，却没有任何两个人是彼此一模一样的，这又到底是为什么呢？

对此我是这样理解的：差异源自创造这个宇宙的造物主赋予我们每个人各自不同职责的缘故。也就是说，造物主赐予了我们这些原本是绝对平等的存在，或者说是神的化身的人以各自不同职责、能力、相貌等，并通过这种多样性，实现了社会的和谐与发展。

个人的才能应为世间和人类服务

关于这一点，我都是用戏班子的例子来加以说明的。

一个戏班，既要有演主角的人，也要有演配角的人，还要有跑龙套的人。与此同时，还必须有人负责剧团的大小道具、化妆、服装。与此同时，为所有演剧人员提供服务保障的人也必不可少。一个戏班子就是这样必须由多方人员协调构成。同理，一个社会亦是如此，如果全都是由千篇一律、整齐划一，完全相同的个人构成的话，那么这个社会就绝对无法维系下去。多样化的职责分担对于一个社会的构建而言不可或缺。

譬如，当我从事京瓷的经营活动时，用演戏做比较的话，那么我扮演的就是主角，之所以我会担任这个角色，大概是因为我多少还有一些经营企业的才能。然而具备这种才能的也并非只有我稻盛和夫一人，在被称之为相同的存在物当中，我只是凑巧被赋予了这个职责，如果还有另外一个具备同样才能的人现身的话，整场戏也完全有可能以他为中心进行下去。

不管是京瓷还是DDI，作为企业，它们或许在当今这个舞台上必不可少。然而对于这两家公司的创建和成长而言，却也不是非稻盛和夫不可。之所以这么说，是因为我绝对不能将上天赐予我的才能用于自身利益之上。

一言蔽之，领导者绝对不能将自身的才能化为私有。

至今我还清楚地记得，当我突然意识到这一点时，汗毛倒竖，顿生恐惧之感。这是因为之前我都自以为才能是属于自己的东西，并相信由此而得到的成果也顺其自然应该占为己有。

人一旦获得成功，就容易变得骄傲自负。从20世纪60年代中期开始，京瓷在精密陶瓷的研究开发领域不断获得成功，整个企业的规模也迅速得以扩张。尤其是在研发出被用于电脑核心部件的陶瓷集成电路基片——这种被誉为是“没有这种产品就没有现代电脑产业”的重要电脑零部件之后，京瓷的发展获得了巨大的原动力。

由于集成电路容器的成功，京瓷的发展得以急速增长，并跻身于高收益的优秀企业之列。就在这个时候，不知不觉中，我心中流露出了是自己作为经营者和技术者的才能才使得京瓷能够获得如此辉煌成功的意识。

当京瓷刚刚在大阪证券交易所市场第二部上市之初，公司的税后利润已经达到了10亿日元，但我本人的薪酬却不过依然是每年区区数百万日元而已。

于是我心中开始产生一些念头，觉得：“当初都是靠我手中的技术才创办了这家公司，并且我为了京瓷的发展夜以继日、辛勤操劳到现在。正是由于我的才干，公司才能够获得现如今这样的成功，因此我理应获得与自己的付出相匹配的报酬。”

但是，万幸的是，恰好正是在那个当头，我认识到了自身的才能并非一己之物，因此无论如何也绝对不能将自己的才能化为私有。

正是因为才能这种东西是造物主为了社会和大众的利益，凑巧赐予给像我这样的一个存在。因此，试图将这种才能化为私物、独自贪享其所生恩惠的做法有违造物主本意。我真正应该做的是要将造物主赋予自己的才能奉献给员工、股东、客户以及社会。

梦想必定能够实现

一个人只要活在这个世界上，就会不断地遭遇到各种各样的灾难与困苦。我自身就曾经有过非常痛苦的经历。想要做自己认为正确的事情，却陷入了世人的猛烈责难和诽谤之中，整日整夜地沉浸在忧伤苦闷之中，受尽煎熬。

那个时候，我就去向平日里一直敬仰的圆福寺西片担雪禅师进行求教。

老师在听了我的诉说之后，淡淡一笑地答道：“稻盛先生，这些事不正好都是证明你还活着的证据吗？”说实话，当时我觉得自己正备受煎熬，可西片禅师却仅仅轻描淡写地用一句“活着的证据”来应对，实在是让我觉得有些难以接受。然而老师接下来说的话，却又让我幡然醒悟。

“你现在遭遇的灾难是在消除你过去的罪业，如果你以往的罪业能够就此得到消除，难道这不是一件应该为之高兴的事吗？”

当一个原因导致一个结果发生时，此时此刻这个因早已经不复存在。也就是说，任何恶果，都是恶因以灾难形式的显现，并通过这样的方式消除过去造下的罪业。正因为如此，西片禅师才会教导我应该以此为喜。

佛教有“念头造业”的说法，业可以被理解成因缘的“因”，也即是原因。当我们在进行思考时，同时也就是在生各种因缘。而这些原因的具体显现即为现象，也就是结果。善念产生善果，恶念招致恶果。

就如同这样，我们的念头会如实地作为现象体现出来，因此我们必须时刻警惕自己的内心状态。思善念时，幸福美好的事情会不请自到；而思邪念时，悲惨的遭遇也自然会从天而降。

关于这一点，无论古今东西的看法都大致相同。基督教说："你们要给人，就必有给你们的。"日本人有"好心好报"的说法。中国的《易经》则有"积善之家，必有余庆"的说法。所有这些都表明的是同一个意思：思善事，行善行，自己最终也必然因此而受惠。

然而，即便我们说一个人的起思动念是在造因，然而在现实中还是会有非常多的人对此并不认同。更有许多人会感到疑惑："为什么那些作恶多端的人会获得成功，大发横财，而那些行善慈悲的人却会备受苦难？这个世界实在是太不公道了。"

事实上，一个念头到它最终实现，需要经历一定的时间，并不是今天产生的一个善念，明天就立刻会得到善果。有时候，如果我们以20年、30年，或者更长的维度来观察，最终还是不会超出这个规律。

至少在我的身边，那些曾经被誉为时代的宠儿，受到世间高度评价的杰出经营者中的许多人，由于急功近利，心怀不善之念，最终都遭受挫折、满身伤痕地悄然退场。而与之相反，那些看似简单朴实，但是却能够兢兢业业、辛勤努力的人，却都能够一直到晚年都确保人生的幸福。

当我们俯视时代长河时就会发现，所有人的荣盛兴衰，都取决于其自身的内心心态。

善念召唤幸运

我相信一个人的“善念”能够让自己的命运变得更好。之所以我会有这种认识是因为利他的美好愿望符合整个宇宙的基本法则。

在宇宙间涌动着一种让所有事物都得以成长发展的力量。这种力量就被称作为宇宙法则。而是否能够顺这个宇宙法则最终决定了我们每个人的命运。那种只在意自身利益的不良念头由于违反了宇宙法则，必然会使得产生这种念头的人的命运走向凄惨的方向。而与之相反，如果我们的心中能够充满期盼所有事物都能发展的善意，这就顺应了宇宙法则，从而为我们开启幸运之门。

在细细探究了这个宇宙的成因之后，我最终坚信这个宇宙法则的真实不虚。

根据现代宇宙物理学的定论，这个宇宙始于一场被称之为 Big Bang 的大爆炸。在距今 150 亿年前，在一个极高温度和极高密度的基本粒子火球的一大爆炸中产生了我们这个宇宙，并且自大爆炸起，整个宇宙都在不断地向四周膨胀和扩大。

在这场大爆炸中，由数种基本粒子组成了质子、中子、介子，它们进一步相互结合形成了原子核。接下来电子又被原子核捕捉住，围绕原子核旋转，从而形成了原子。原子再继续相互结合，形成了分子。分子不断结合，形成了高分子，再进而形成 DNA（脱氧核糖核酸），产生了生命体。然后生命体又不断进化演变，最终形成了现在这个璀璨的人类社会。

就像这样，我们这个宇宙一分一秒也不曾停止过变化，总是在不断地成长发展。尽管基本粒子也可以选择维持不变，但是它却从来也没有停止过向原子，由原子向分子，由分子向高分子，再由高分子向生命体，并最终作为生命体不断进化的进程。对于这种进化进程，我的解释是，只可能是因为在这个宇宙中存在着一种创造这个宇宙，并将所有事物导引向不断进化发展方向的强大意志。

在这个涌动着推动所有事物向前成长发展的强大意志的宇宙当中，如果我们能够顺应这种力量，怀揣一颗谦虚、诚实、善意的美好心灵来对待工作和人生的话，成功必将会如约而至。反之，假如违背这种宇宙规律，仅仅只考虑自身利益，为了自身成功甚至损人利己的话，这种行为最终必然会导致人生陷入苦难的深渊。

因此作为一名企业的经营者，如果不能够立足于“善意”，拥有为了员工、股东、客户、企业等全力以赴，兢兢业业，并以此为最高愉悦的思维方式和哲学的话，就绝对不可能永远获得成功。

用理性驾驭我们的本能、感情和感觉

我前面已经说过，我信奉“人性本善”，然而与此同时，另一个无法否认的事实同样也摆在我们眼前，那就是人性同时又非常软弱，极易受到诱惑，被各种欲望俘虏。因此很多时候，我们会轻易地误入歧途，走上利己自私的道路。如果一个人没有树立严格律己的哲学理念，坚定奉行质朴生活的坚强意志，那么要想抑制住自身的欲望会是一件至难之事。

可是我们如何才能够抑制利己之心呢？为了把这个问题解释透彻，首先我要从自己是如何理解人心的构造开始说起。

在我看来，心的构造就宛如一个同心圆，由内到外分别由魂、灵性、理性、感情和感觉以及本能构成（在《活法》一书中，稻盛和夫认为，心灵的同心圆由外到内的次序分别是：①知性——后天掌握的知识、道理、逻辑。②感性——主宰五感及感情等精神活动的心。③本能——维持肉体需要的欲望等。④灵魂——裹在真我外层的、现世的经验与业障。⑤真我——位于心灵中心的内核，充满真、善、美。——编者注）。

这些元素进一步还可以分为精神意识和肉体意识。魂与灵性属于精神意识。感情、感觉以及本能则可以归纳为肉体意识。理性则位于精神意识和肉体意识两者之间。

相对于精神意识具有利他倾向的特征，肉体意识则出于为了维系自身肉体的需要，完全是以自我为中心的利己倾向为主导。

当我们在没有任何自律的前提下思考时，最初产生的都是属于肉体意识范畴内的本能。由于本能处于心的同心圆构造的最外侧，因此在无意识的情况下，我们首先会依靠这种本能来进行思维判断。

前面已经提到过，本能是一种以自身利益为优先的、利己性的存在。以领导者为例，以本能为主导的领导者在考虑组织利益之前，首先考虑的是自身的得失，然后再进行相应的判断。

与本能紧紧相邻，但要更加接近心灵构造内核的则是感情和感觉。人经常会基于自身的感情和感觉，也就是自身的喜恶和情绪来做出带有主观性的判断。

像以上这类依靠自身本能，或者感情和感觉来对事物进行判断的行为，对于大多数普通人而言是一种常态。但是如果所有人都完全基于这种方式进行利己判断，随意行事，各类纷争矛盾会层出不穷。因此为了创造一个没有冲突、平稳和谐的社会，全社会的所有成员必须都拥有乐于奉献的精神，也就是用利他的心来进行判断。

为了实现这个目的，我们就需要利用强制性措施来约束自己的本能、感情和感觉。也就是说，我们要有意识地审视自身内心的起伏变化，当我们产生要做出只对自身有利的判断时，能够及时进行自律，告诉自己“这不是作为一个人所应做的行为”，并进而抑制住利己的意念。通过这种方式，利己意念会慢慢减弱，较之本能以及感情和感觉要更加接近心灵构造核心的理性、灵性、魂也就会随即显现出来。

当理性开始呈现时，没有私心的判断就得以成为可能，并且当我们能够完全在灵性和魂这个层次进行判断时，正确的判断会自然而然地在瞬间流露出来。然而，要想达到这种境界，我们就必须付出持之以恒的努力，最起码也要能够做到基于理性进行判断。

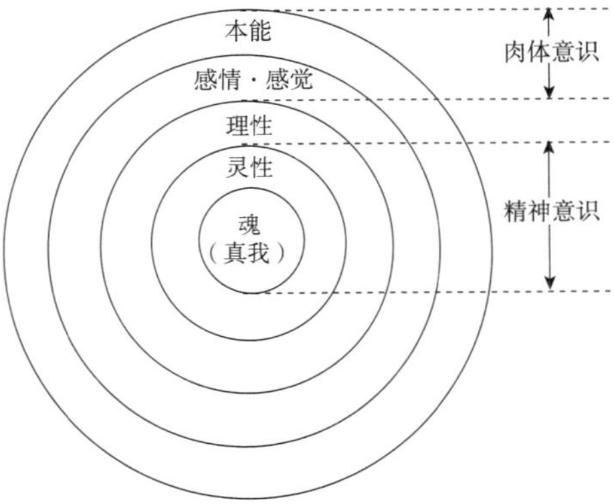

也许会有人认为，这不是一件很难的事情，会觉得："我很轻松就能够把利己心给束缚住。"然而当我们实际去尝试的话会发现，人的"我执"是如此顽固，就连这种简单的自律也难以保持长久，因此我们才有必要不断追求心性的磨砺。

尽管我们内心依旧充满"我执"，但依然可以利用理性来控制这些自私的念头，心怀所属组织和社会的利益，并为之做出奉献。当然，如果我们跳出自我，客观公正地观察自己的这种行为心理时，或许会发现这时的我们显得有些"伪善"，然而关键在于，即便这是事实，只要我们能够坚持住这种“伪善”，那么它就会在不知不觉中成为一种惯性，最终去伪存善，从而构成真我。

或许会有人对此反驳道：“利他心说起来漂亮，但是却不能用在商场上。”或许从短视的角度看，这种做法确实会让自己吃亏。然而从长远来看，正是由于善待他人的利他心顺应了这个宇宙法则，最终必然会给我们带来正面的结果。

构成心的四个世界

宇宙就是这样，在拥有一股推进事物成长发展的力量同时，还存在另外一股当某一项事物过于庞大失衡时，就对其进行调整，使之回归平衡的力量。

举例来说，非洲的大草原是一个弱肉强食的世界。从表面看上去虽然显得残酷无比，然而事实却并非如此。一切都只不过是作为自然界法则的食物链的一环而已。如果食物链遭到破坏，比如狮子停止进行捕食，纵容草食动物种群不断增加、繁衍、扩大增加的话，那么作为这些草食动物食物的草就必然枯竭，从而导致草食动物的最终灭绝。因此为了保护草食动物的生存，就有必要通过肉食动物来控制草食动物的数量。

所以依我之见，这个宇宙由一种为了让所有事物都能够保持恰当平衡而以图谋“和谐”为原点的力量，和另一种我在前面已经提及的，让所有事物都能够成长发展的宇宙法则，也即“爱”的力量来共同维持运行。

将“爱”和“和谐”这两种宇宙力量各自设定为纵轴和横轴，并共同组成一个坐标体系的话，那么就能够把构成心的四个世界表现出来。

首先，将代表进化发展的“爱”的力量设定为纵轴（Y 轴），向上代表着进化发展的方向；向下则代表了维持现状，乃至退步的方向。然后将代表谋求“和谐”的力量设定为横轴（X 轴），往右，代表“和谐”的方向，也即“利他”；向左，则代表“利己”。

如果把个人放到这个坐标体系中的话，从代表“爱”的 Y 轴的原点开始，位于原点上方的属于勤奋努力的人，位于原点下方的则属于懒惰懈怠的人。

接下来，从代表“和谐”的X轴的原点开始，位于原点左侧，也即负方向的，属于只顾自身利益的人，这种人不管别人如何辛劳，只要自身获利就好，完全是以自我为中心。与之相反，位于右侧的人则都愿意与周围的人和谐共存、同甘共苦，属于利他的人。

而X轴和Y轴相互交错划分出的四个领域，我认为刚好代表了构成我们内心状态的四个世界。

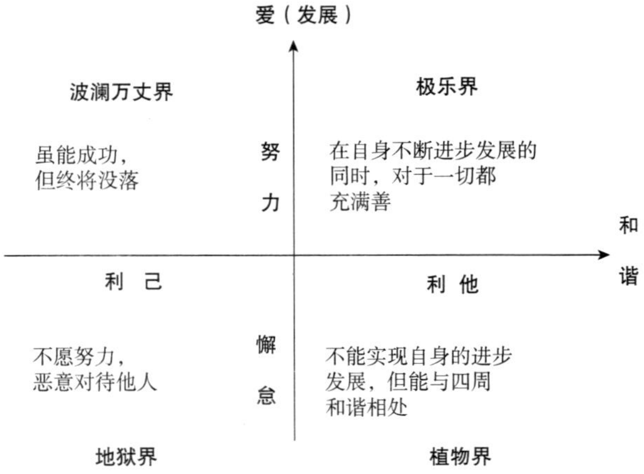

左上的世界可以称为“波澜万丈界”。在这个世界

里都是一些表面很努力，但是只顾自身利益的人。虽然通过个人的不懈努力，他们的确也能够获得一定的成长和发展，但是由于他们都只顾自身利益，因此他们的成功也就难以持久。这就造成了不管是企业的经营还是他们的人生都波澜万丈、起伏不定。那些虽然自身能力不凡，但是却无法始终确保企业稳定经营的经营者即在此例。

左下的世界是“地狱界”。那些不仅自己不努力，还要给别人下绊子，一心只图私利的人就住在这个世界里。这些人一心指望轻松获利，因此他们在事业上当然也就不可能获得成功。然而每当这时，他们这类人又总是喜欢以“受骗上当，被人欺骗了”等为借口，将自身失败的根源归咎于他人。身处这个世界，宛如身处地狱一般。

右上的世界是“极乐界”。在这个世界里的人不仅自身努力，并且对他人都怀有美好的善意。以企业经营者为例，位于这个世界的经营者们由于自身的努力，事业自然能够获得发展，与此同时，由于他们都能够在意员工、客户乃至全社会的幸福和福利，努力与周围实现和睦相处，这些经营者也就得以保证自身事业的不断繁荣和延续。那些在获得成长发展的同时，又能够确保和谐稳定的企业经营和精彩人生的人就住在这个世界。

最后，右下方的世界被称为“植物界”。那些虽然能够与周围保持和谐，但是自身却无法付出辛劳努力，实现自身发展的人就住在这个世界。这个领域就有如自然界里的森林，尽管非常稳定，但是却几乎毫无发展成长的可能。换做人比喻的话，就是指那些不期变化，唯求安稳的人。

人生百态，人各有异，尽管要想泾渭分明地将不同人加以分类的做法不切实际，毫无意义。但是通过这样的坐标体系轴，可以让我们鲜明地理解“心态决定人生与经营”的道理。

关键在于为人的基本原则

然而，即便我们理解了“一个人只要具备了正确的思维方式，通过持之以恒的不懈努力，就一定能够为自己打开幸运之门”的道理。可是当我们要将这个理念付诸行动时，却发现会非常困难。

究其原因，完全是由于这并非一件简单易行的事。

比如对于公平、公正、正义、努力、勇气、博爱、谦虚、诚实等这些我们早已耳濡目染、习以为常、认为是老生常谈的辞藻，没有人会认真对待，严格地执行。并且很多人已经拥有错误的成见，认为要想在人生和事业上获得成功，就必须依靠处心积虑的权谋术数。

当年幼的我还在鹿儿岛接受乡中教育时，曾经学唱过《日新公伊吕波歌》。这是日本战国时代萨摩藩的武将——岛津忠良收集整理的47首关于为人之道的日本歌谣。我至今依然记得小时候，街区神社和寺庙的住持长老们向我们教授这些歌谣时的情景。

这一系列歌谣的其中一首内容是这样的：“良言教诲听百遍，不亲行亦无义。”

正如这首歌谣唱诵的，前人的那些充满智慧的教诲，即便我们自以为已经理解透彻，在现实中，能够付诸实践的人也是凤毛麟角。先贤们的教诲往往由于过于质朴和简单，反而导致人们自以为“不说也知道”的自满，轻慢对之，不能够将这些先贤教诲当作自己人生和行动的规范。

因此才会有许多人产生各种各样的迷惑，不知何往，不管是人生还是事业，都误入歧途、犯下错误，对此我总会感到深深的遗憾。尽管众多先贤的教诲都非常质朴简单，但是却蕴含了极大的智慧。而我们是否能够以这些先贤智慧为自身规范，认真遵守，真诚奉行，是决定我们人生和经营成败的分水岭。

人生与经营的真谛并非高高在上，常人不能及，事实上都是些我们触手可及的、最基本的伦理观念。而真正具有极大难度、让我们难以做到的是：我们能否老老实实地坚守并贯彻这些最基本的观念和准则。

上天的眷顾

在这些应该严格奉行的、最基本的为人准则中，我认为尤其重要的一点就是，我们应该为了世间和他人的利益倾力奉献。

1984年，当日本电信业开始实施自由化的当口，我身先士卒创办了第二电电（DDI）公司。我的这个决策完全是因为我当时抱有强烈的愿望，也就是在一个即将到来的高度信息化社会里，必须降低用户的通信费用。

我很早就到美国去开拓市场，因此比较了解美国低廉的通信成本，也深深地感受到了低廉的通信费用对美国的产业活动和民众生活带来的不可估量的促进。与之相比，当时在日本国内，由于电电公社（NTT）的独家垄断，日本民众不得不承担高昂的通信费用。一想到即将到来的高度信息化社会，我就坚信如果能够降低通信费用的话，就必然能够为日本大众做出重要的贡献。

因此，当日本政府决定要将长途电信市场实行自由化时，我立刻产生了要亲自参与这个领域的念头。在那段时间，我每天晚上都会不断自省，想要反复验证自己的这个念头是否有任何的私心杂念存在。

在经过将近半年时间的自省自问之后，我终于能够坚定地确信，“我动机至善，私心了无”，并就此毅然地开始了在电信领域的开拓。

在公司正式创立，并开始向客户提供服务之后，我依然不断地向 DDI 的员工们反复讲道：“为了日本大众，我们一定要让日本的通信费用降下来。”并团结全体员工，为实现这个目标全力以赴。

刚开始时，我们其实也没有任何必胜的把握。姑且不说我们在进行市场竞争时面对的是 NTT 这个庞然大物，即便与同期进入这个领域的其他两家竞争对手相比，DDI 不管是在技术上，还是设备硬件等基础上都处于极其不利的地位。可是等到 DDI 开始运营之后，最初被公认为最为不利的 DDI 却在电信行业的新企业中持续保持了领先的地位。

因此从那时起，我经常被人询问道：“DDI 为什么能够获得这样的成功？”而我的回答永远都是：“因为我们是怀着为了社会和大众服务的质朴心态投入这项事业，所以得到了上天保佑。”我的这番话完全是肺腑之言，毫无任何夸张。

不管是人生还是事业，最重要的是我们拥有怎样一种思维方式。即使这种思维方式极其简单朴素，但是只要我们基于作为一个人所应秉持的正确态度进行判断，并以此采取行动，那么成功就必然会降临到我们头上。

我现在可以断言的一点是：不管我们做任何事情，只要能够舍弃私心杂念，一心只为世间和他人的利益，那么我们的事业就不仅不会遭遇阻碍，并且能够得到上天的眷顾。

第四章　追求人间正道

第一节　65 岁时的决断

接受胃癌手术

正如我给《京都新闻》的投稿（第一章）里所提到的，我原本预定在 1997 年 6 月削发为僧，也即在京瓷和 DDI 的股东大会结束之后的 29 日举行出家仪式，并就此开始修行生活。

然而，那一天我接受的却是胃癌手术。

这一年年初的时候，我和我的妻子同时接受了定期健康检查，我们原本计划在 1997 年 2 月 15 日接受检查，可是在进行检查的前一天，我的妻子身体略有不适，所以检查就推迟了。接下来由于我事务繁忙，实在是抽不出时间，等到终于挤出时间能去做身体检查时，已经是6月9号了。那一天在接受了身体透视检查之后，我被告知需要重新做检查，于是又在6月14号接受了胃镜检查。胃镜检查发现，我的胃上出现了溃疡，为了谨慎起见，医生在我胃里提取了四处组织标本进行化验。

当时我心底就产生了不好的预感。6月19日，当我正在京都商工会议所参加会议时，我的负责医生突然到访，把检查结果告诉了我。

“你得的是胃癌，必须尽早接受手术治疗。”

恰好那一天我义务进行指导的盛和塾在冈山要举行例会，于是我仍然按照预定计划赶赴冈山参加盛和塾的会议。在例会结束后，我才搭上深夜的新干线列车，回到京都。在回来的列车上，我又同那些回东京的盛和塾学员就企业经营问题进行了探讨，因此一直到列车抵达京都为止，我都一直和这些学员进行着沟通交流。

回到家，已经夜深人静，我重新思考了自己已经身患胃癌的这个事实，发现自己的内心并没有因此而产生丝毫的惊慌，于是相信自己能够不为这个病患所搅扰，照样能够安然入睡。

过了两天，在和我的医生进行沟通后，我们最终决定在 6 月 29 日接受手术。正如前面已经提到过的，令人感到有些奇妙的是，那一天本来正是我预定到圆福寺举行出家仪式的日子。6 月 24 日我入住京都市内的一家医院，并在 6 月 27 日向媒体公开了我身患胃癌的消息，这么做是因为我的出家仪式早已受到了新闻媒体的广泛关注，现在要突然取消，需要公开通知大家，不能给寺院方带来任何困扰。

6 月 29 日，我接受了胃癌的切除手术，在切除了三分之二的胃之后，手术顺利结束。尽管在手术后伤口依然疼痛不止，但是医生说只要过一周时间我就可以进食米粥。然而等到一周之后，当我试着喝一点米粥时，却导致了胃里伤口的剧痛。

经过检查才发现，胃的切除部分缝合不良，吃下去的食物会从此处渗漏出来，如果处理不当甚至可能会导致腹膜炎。

本来我预定手术完成后的两周就能够出院，可是由于发生了这个意外，我的住院时间完全超出了预想。

正式出家

现在回想起来，从我得知自己身患胃癌开始，一直到接受手术的那段时间，我依然保持着平常心，过着与往昔毫无差别的生活。我在接受手术时，脑子里闪过自己依旧还是一个凡人的念头。接受手术时，我由于做了全身的麻醉，在不知不觉中就度过了手术的全过程，没有什么特别的感受。

令人匪夷所思的是，在接受手术之后我却遭受了极大的折磨。由于手术并不是很成功，在接受手术后的一周时间里，每天我都会因为剧痛而大汗淋漓，一天不得不换好几遍内衣。进食和营养保证都只能靠打点滴，那种滋味实在让人苦不堪言。

因此当时我对周围人的态度可以说是非常不好。我在一味要求别人做到“善待他人”、“提升心性”这些高尚行为的同时，自己却由于不堪忍受肉体的痛苦，迁怒于别人。在进行了自我反省后，我对于这样一个自己，实在是有些不可饶恕，感到原来自己也只不过是一个一边唱高调，一边却内心软弱的人。

正是由于感受到了自己这些缺陷，我重新燃起了入寺修行，尽一切可能，磨砺自身心性，塑造一个更加完美人生的愿望。

为此，我在身体还没有完全康复的情况下，1997年9月7日，经由前面提到过的西片担雪禅师的引导，我在圆福寺剃度出家，成为释迦牟尼佛祖的弟子，并且在11月上旬，经历了一段亲身修行。

西片担雪禅师开示我道："我们禅宗的出家人，为了自身的修炼，会进行诸如坐禅之类的修行，尽管我们与世无争，但是也没有直接为世间做出什么贡献。而你是由一个在家人成为出家人，对你而言，在经过圣堂的认真修行后，应该重新回到现实生活中，为社会做贡献，这才是你应该遵行的学佛之道。仅仅只限于寺院这个牢笼中独自修行，并非你的应尽之道。"

可以预见的是，日本今后在政治、经济、产业等各个领域都会掀起革命性的巨变，我将会全力依循西片担雪禅师的教诲，为了社会和大众倾尽自己的微薄之力。

做好迎接死亡的准备

我把自己从企业经营第一线引退的时间定为65岁，要回溯到我20年前的一段遭遇。当时有人向我引荐了一位正在日本访问的瑜伽圣人，他是印度传统医学阿育吠陀的专家，当时很凑巧他给我号了一个脉。

结果我还没有开口，那位印度瑜伽圣人就说出了我在小时候曾经患过结核病，他甚至指出了病灶的具体位置。他还一一列举出了我曾经患过的各种病症，以及当时正困扰着我的三叉神经痛。

在号完脉后，这位瑜伽圣人告诉我："你能够活到80岁左右。"这位圣人的这句话深深地烙在了我的脑海之中，让我深信自己的寿命就是80岁左右。

如果我的人生只有80年的话，那么就要尽可能地做好人生规划，正是出于这种考虑，从那时开始，我把自己的人生分三个部分。

从出生到大学毕业为止的约20年是为了进入社

会的准备期。之后约40年是在现实社会里努力工作的时期。最后的20年则是迎接死亡到来的准备期。按照这种划分，我开始准备着，等到我60岁时就退出企业经营的第一线。然而当迎来60岁时，恰逢赛鲁拉公司（1988年京瓷集团创办的一家经营手机通信业务的公司，即现在的au公司。——编者注）刚刚开始要在日本全国展开手机通信业务。当时公司的小灵通手机业务和利用低轨道卫星网实现全球通话的铱星计划都才刚刚有了眉目，公司这些新的业务都必须有人来把握大局，因此我在60岁时没能如愿退休。

又经过5年之后，公司新的业务逐渐有了着落，尽管有些延误，但我最终还是在65岁时退出了公司经营的第一线，并且打算在我离开这个世界之前，让自己能够有所提升。

在自己剩下的人生岁月里，倾力所为，让自己的灵魂得到净化和升华。这既是准备迎接死亡的到来，也是为了迎接来生将要开始的新旅程。

佛教相信轮回转世，即便肉体死去，灵魂依旧不灭，并重新转世到下一生循环不止。现在的我们也正是在经历着这种轮回转世的过程。因此我们的这一生其实就是为了获得一个更好的来生，而磨砺锤炼自己灵魂的修行场。

对这一切深信不疑的我，因此想要在剩余的人生岁月里努力淬炼、升华自己的灵魂，为来生的起航做好充分的准备，这就是我想要学佛的理由。

努力净化心灵

在众多宗教里，我唯独选择佛教的原因，在于佛教是一个极其重视心性的宗教。而我认为自己所皈依的禅宗，在佛教里面更是一个极其注重心性，对于灵魂的修炼极端重视的宗派。

佛祖释迦牟尼原本是作为古印度王族的王子来到这个世间，过着怡然自得的王公贵族的生活。然而他在很年轻时，就因自身的感悟，选择了宗教的道路。佛祖最初选择的是苦行，却始终无法找到解脱之道，然后当他在菩提树下静坐参禅时，却突然获得了开悟。而后人对于佛祖如何开悟的途径的总结、传播和弘扬正是禅宗的起源。

据说，佛祖释迦牟尼在开悟之后，立即看清了整个宇宙一切事物的本质。在这种境界之中，宇宙与自身融为一体，万事万物一瞬间即可了然于心。这种开悟的境界无法用理论加以说明，也无法用语言和文字来表现。释迦牟尼的弟子们对此做出的总结是：此种境界，除了不立文字、自心证悟以外，再也没有任何其他办法可以达到。

然而世间凡人不管如何用功静坐参禅也依旧难以达到上述这种开悟的境界。曾经活跃于日本江户时代中期，被称为临济宗中兴之祖的白隐禅师（1685—1768：别号鹄林，谥号慧鹤，日本江户时代中期的禅僧，也是临济宗的中兴祖师。——译者注）从年轻时就开始修行。然而据说一直到他去世为止，虽有过无数次开小悟的经历，然而大悟的境界却仅仅只有八次。

如果像白隐禅师这样的得道高僧在长达数十年的时间里每日静修参禅，都只能开八次大悟的话，那么对于从65岁才开始坐禅的我而言，开悟的可能性可以说几乎为零。

正是由于自己还存在着诸多不足和缺陷，因此更需要退出企业经营，尽一切可能确保自己的时间，以参学作为人以及我们在人生道路上的应循之道，并努力净化自己的灵魂与心性。正是出于这种目的，我才会产生出家修行的念头。

发掘人生的真正目的——我的出家仪式

1997 年 9 月 7 日上午，圆福寺的西片担雪担任受戒师，为我举行了出家仪式。

尽管已经是 9 月，然而依旧是酷暑炎炎，天气闷热难当。作为修行道场的圆福寺的林木间依旧如盛夏一般，充斥着蝉鸣之声。

圆福寺毗邻洞卡，刚好位于京都府八幡市与大阪府枚方市之间，以筒井顺庆（1549—1584，日本战国时代大名，统领以兴福寺为首的僧兵集团，活跃在京畿大和一带。——编者注）针对明智光秀［1528—1582，日本战国名将，织田信长的重要将领。天正十年（1582 年），明智光秀发动“本能寺之变”消灭了织田信长，旋即与前来讨伐的羽柴秀吉（丰臣秀吉）于山崎激战，兵败被杀。——编者注］的举兵，在此做出了保持中立的决策而闻名于世。圆福寺是一家因为保存着据传是由圣德太子亲自制作的达摩像而知名的禅寺，并且直到现在，仍然作为临济宗妙心寺派的道场，有众多僧人在此日夜修行。

仪式前头一天，已经剃光头发的我身穿白衣白袜在静候着仪式的开始。上午 11 点，似乎是为了打破聒耳的蝉鸣声，一阵鼓声响彻在寺院之中。以此为号，我跟随着在前面引导我的出家人来到了作为会场的大殿。然后作为我受戒师的西片担雪禅师也进入大殿入座。大殿内早已坐满了包括我妻子在内的 40 人左右的亲属和公司有关人员，共同来见证我的出家仪式。

担任司仪的一位僧侣的声音传遍了会场。

“现在开始，进行稻盛和夫的出家仪式。”

整个仪式终于开始了。

我首先对着寺院的主持和受戒师各自三拜合掌。伴着惊堂木的敲打声，在肃穆的会场上传来了受戒师的声音。

“一心奉请、无上佛宝、无边法宝、无尽僧宝、同以感应、咸与证明。”

接下来在读诵了以“感谢天地父母的加持护念”为主要内容的戒文之后，我又行了一礼，然后暂且退下，换上僧服之后重新又回到大殿。担任受戒师的西片担雪禅师为我进行了剃度仪式，并赐给了我“大和”的僧名和袈裟。就此，我正式成为一名僧侣。

然后，我又接受了作为一名僧侣必需的“十重戒”戒律，它们依次是：

（一）不杀生戒（不得杀害性命）；

（二）不偷盗戒（不得偷取他人财物）；

（三）不贪淫戒（不得行淫秽之事）；

（四）不妄语戒（不得说谎）；

（五）不沽酒戒（不可贩卖酒水）；

（六）不说四众过罪戒（不在背后谈论传播他人的错误与缺点）；

（七）不自赞毁他戒（不得夸耀自己诋毁他人）；

（八）不悭贪法财戒（不得贪图物质精神两方面的

利益，要对他人不吝施舍）；

（九）不嗔恚戒（不无故发怒、仇视）；

（十）不诽谤三宝戒（不得中伤佛、法、僧）。

在读诵了这十条戒律之后，受戒师用严厉的语气问我道：

“汝今能持否？”

这是在询问我能否遵守以上这十重戒律，我毫不迟疑地答道：“能持。”在这样反复问答三遍之后，我在聚集于大殿的众人与佛祖面前立下谨守戒律的誓言。

接着众人又诵读了《般若心经》和白隐禅师的《坐禅和赞》，然后我又从西片担雪禅师那里得到了“只有怀揣舍己为人的生活态度，才能获得真正的安宁”的宝贵开示。最后我与众僧侣一同唱诵了《四弘誓愿》。

我的出家仪式就此结束。

从那时起，我经常被他人询问：“你的心态有什么样的变化吗？”从落发为僧之时开始，外表上我当然已经与以前变得全然不同，但更为重要的是，我感受到了自己的内心发生的巨大变化。

首先，我变得能够更加坦然地谈论精神世界的话题。我本是大学理工科出身，在企业进行过产品研究开发工作之后，又成为一名企业的经营者，每天都是在与数字打交道。因此当我谈及与精神世界有关的话题时，多少总会感到有些踌躇。就算偶尔触及精神世界的话题，也会被很多人认为在“进行宗教说教”，被周围人敬而远之。然而自从我出家之日开始，当谈论到精神世界的话题时，我之前的那些犹豫完全被一扫而光。

其次，那些曾经需要刻意而为的事情也变得能够轻松随意地加以应对。比如说，尽管我一直主张“利他”，然而以前我需要有意识地让自己明白“必须这么做”，也就好比在强迫自己如此行事。然而在出家后，我能够清楚地感受到自己不再需要特别刻意警戒，也能够很自然地以此来规范自己的行动。

最后，还有一点能够自感的是，以前完全是依赖于理性来理解认识的诸多事物，现在变得足以从心底里更加清晰地认清它们的本质。

获得信仰

我经常说“磨砺心灵”或者“提高心性”是人生最重要的事情，并且主张人生的目的就是应该努力纯净、升华自己的心灵。为了实现这些目标，我们首先需要让自己成为一个积极主动地积累善行的人。

然而，正如前面已经说过的，我也曾因为无法忍耐肉体的痛苦而迁怒于周围人的身上。对于这样一个尽管打算要遵循佛陀的戒律，却难以做到切实执行的自己，我不得不产生“我到底是在做些什么？”的自责，并想向释迦牟尼佛祖请教：“像我这样的人是否能够得到救赎？”

然而现在，我对于这些问题是这样理解的。

当我们在日常生活中有了想要遵守戒律的愿望时，在不经意间，我们的人生自然也会发生截然不同的变化。即便我们一时还无法完全遵守戒律，但最重要的是，要能够在心中持有这种愿望，并努力付诸实践。只要能够这样，我们的命运自然会向好的方向转变。而对于那些心中缺乏这种愿望，完全生活在利己、短视、斤斤计较生活状态中的人，等待他们的只会是没落与沉沦的命运。

这是因为佛祖释迦牟尼不会抛弃那些尽管无法完全谨守戒律，但是依然真心期盼磨砺自己的灵魂，虽满心烦恼、苦苦挣扎却不断反省的世间凡人。事实上，佛祖反而会对我们付出大爱，给予救赎。

我本人是这样认识的，也能够真实地感受到佛祖的无边大爱。迄今为止，我都试图基于理性来认识佛教。然而在出家之后，才真正从心底相信佛祖是用上述方式在拯救世人。而这种认识，大概就可以被称为获得“信仰”。现如今，我全心皈依了佛教，终于能够安心度过自己的人生。

以上都是我出家之后真实的内心感受。

托钵修行

在 11 月初的时候，尽管时间不长，但我还是进入圆福寺，经历了被称为“接心”的修行。

所谓“接心”是指把心集中于某一个对象之上的

严格修行期，以便能够在一定时间里实现参禅的精进。

在这段修行期间，我与修行僧侣们一道，早上3点就起床，晚上11点才能上床休息。饮食都非常简单，以早饭为例，仅仅只有米饭、乌梅干和萝卜汤。

在修行期间，我们每天都需要出外托钵行乞。我们穿着藏青色的棉质僧服，打着白色绑腿，光脚踩着草鞋，脖子上挂着头陀袋，头戴网笠，从早上6点离开寺院，一直到下午3点回来为止，按照顺序拜访信徒们的住所。我们一户一户地按响门铃，向主人们说明“我是从圆福寺达摩堂来祈请每日用米”，然后就站在门口唱诵《四弘誓愿》：

众生无边誓愿度

烦恼无尽誓愿断

法门无量誓愿学

佛道无上誓愿成

在我大声唱诵《四弘誓愿》的时候，信徒会提供布施。由于圆福寺所在的京都府八幡市一带农家众多，因此多数时候收到的布施都是白米。

尽管这些施主有老有少，但他们布施时，样子都显得同样美丽。这让我感受到，只要心怀慈悲，心性的美丽自然会显现在我们的脸上。

接受喜舍

在我出外托钵时，因为头戴的网笠都压得很低，所以不会有人认得出我来。大家都仅仅是把我当作一名面生的僧侣而已。有一次，一家的女主人递给我一枚 500 日元的硬币对我说：“您是新来的和尚吧？以前从来没有见过您。修行很不容易，您肚子一定饿了吧？回去路上请买点东西填填肚子。”

尽管这家看上去并不富裕，但是这位女主人抚慰的话语赐予了我心灵的布施，她那美丽善良的心灵，令我感受到了从未感受过的澄明。

还有一次当我外出托钵行乞时，由于脚尖会露在草鞋外面，不慎踢到了坚硬的路面，疼痛脚趾让我无法用普通姿势走路，只好把身体的重量移到脚跟上蹭行。可是如此一来，腿肚子的肌肉又变得非常酸痛，再加上脖子上吊着装满白米的头陀袋，我只好以一种无奈的姿势，在一所公园里艰难前行。这时一位正在公园里打扫卫生的老妇人一路小跑过来，没有说一句话，只是向我布施了100日元的硬币。

那一瞬间，我被老妇人美丽的心灵深深打动，心中充满无限的温暖和感慨，全身洋溢着一种不可言喻的幸福感，这种感受或许可以用我被“爱”完全浸泽来表现。

那些向我布施的人既没有显现出炫耀、虚荣，也没有表现出任何居高临下的姿态。当然他们也不是为了贪图任何回报，而完全是出于他们美丽的心性才会布施。

而接受了这些布施的我，在不断托钵行乞的过程中，也同时感受到了忍辱无我的境地。而对于从施主们那里获得的喜舍，油然升起感激之念，自然而然地向他们合掌致意。这种不是出于自身利益而对他人生起的善念之心应该就是所谓的“利他”心。而我当时所感受到的难以言喻的幸福感，或许正是由这种“利他”心带来的至上幸福。

通过这些体验，我终于确信，自己一贯秉持的“为了社会和大众而倾力奉献是一个人应尽的最高职责”的人生观没有丝毫的错误。并且从今往后，我要进一步以“利他”心走完自己剩下的人生道路。尽管我自身还有诸多缺点，但是为了实现这个目标，我依然要不断为之付出努力。

第二节　努力践行“利他”之心

彰显伟人——京都奖创设与发展

今后我打算把自己的精力集中在以下几件事情上。

首先就是由稻盛财团运营的“京都奖”这项表彰事业。1984 年，我花费 200 亿日元的个人财产设立了稻盛财团，并于次年举办了第一届京都奖的评选活动，到今年（1998 年）连续举办了十四届，并且已经作为一项世界性的奖项，得到了公众的认可。稻盛财团还通过颁发补助金的方式，向日本国内的年轻研究人员提供资助。

为了让稻盛财团的活动更加活跃，我考虑到有必要进一步增强财团的财政基础，于是去年我又向稻盛财团追加了210亿日元的个人捐赠。

在我设立稻盛财团，创办“京都奖”这项国际性表彰活动之初，在赢得了外界“这是一项非凡事业”的赞许声的同时，也有反对的声音出现。他们认为“年纪不大就弄什么表彰活动，完全不知道天高地厚”，“这家伙大概是为了自己想出名而已。”

在创立稻盛财团时，我确实才不过52岁。我们普通人即便在年轻的时候能够拥有崇高伟大的理想，等到年老时也容易被私心俘虏，陷入私欲的泥潭，我也不敢保证自己能够摆脱这种规律。当我决定设立这个财团和奖项时，一想到要将自己通过长年累月、废寝忘食的辛劳而积攒的这么大一笔私人财产捐献出去，不敢说内心没有一点踌躇犹豫。但是正因为如此，我才要在自己年纪还不大，尚能束缚住自己私心杂念的时候成立这样一个财团。

之所以我要设立“京都奖”，是基于以下两个重要的理由。

首先，这是为了践行我“为了他人和世间倾力奉献是一个人的最高尚的行为”的理念。我之所以能够成就今天这番事业，完全是由于得到了京都、日本以及世界各地的人们的支持。我打算用奖项表彰这种形式来展现自己的这种理念，并且通过这种方式报答培育了我的这个社会。

其次，在当今社会，几乎还没有专门用于表彰那些付出了不为人知的努力，在人类科学、文明以及精神深层有着卓越贡献者的奖项。对于这些人士给予应有的表彰，我相信不仅这件事本身具有深刻的意义，也一定能够为人类未来的发展做出重要的贡献。

在稻盛财团成立的第二年（1985年），三笠宫殿下（即三笠宫崇仁亲王，大正天皇第四子，昭和天皇幼弟。——编者注）及其夫人出席并主持了第一届京都奖的授奖仪式。瑞典的西尔维亚王后也亲临会场，代表协助设立京都奖的诺贝尔财团接受了特别奖。

从那时起，每年的11月10日，在花团锦簇的国立京都国际会馆，稻盛财团都会邀请众多嘉宾出席京都奖的授奖仪式，并分别向“尖端技术”、“基础科学”、“精神科学和表现艺术”三个领域的获奖者颁发奖牌与

5000 万日元的奖金。

我本人尤为京都奖感到自豪的一点是，每一位获奖者不仅都做出了卓越不凡的成就，他们自身的人格和精神也同样令世人钦佩。

在评选获奖者的过程中，京都奖的评选委员们需要从那些得到推荐，来自世界各地的候选人中，在各个领域各选出一名得奖人。为此，评选委员会的委员们需要付出漫长辛劳的努力，有时候甚至会一直激烈争论到深夜。我本人虽然一概不介入评选活动，但是听到评选委员们介绍，每当候选人数筛选到最后一轮，很难决定最终人选时，评审委员都会基于“京都奖的理念”，以此重新判断需要表彰的候选者的个人人格，并最终确定符合京都奖的得奖要求的人选。对这种做法，我深感欣慰。

京都奖的理念（概要）

凡有资格获得京都奖的人士，必须是如同我们这些在京瓷奋斗至今的人一样，谦虚为怀，勤于常人，求道至极，熟知己身。因此，必须是具备敬仰崇高之心者。其成就应为深化世界的文明、科学、精神做出过重大的贡献。与此同时，需衷心期盼自身努力之结果造福于人类幸福。

稻盛和夫

截至去年（1997年），用于表彰符合以上这些要求的杰出人士的京都奖已经迎来了第13个年头。在此期间，京都奖得到了来自世界各地的推荐者、对于这些推荐进行慎重评选审查的委员会委员们、负责颁奖仪式具体运营的各方人员以及给予获奖者热情款待、诚挚敬意的京都当地人们的大力支持。正是众人的支持才使得京都奖能够在世界范围内获得极高的评价。我也从心底对他们所有人表示由衷的感谢。

我相信人类的未来幸福取决于科学技术的发展与精神层次的进化是否能够协调同步。然而我们现在目睹的现实却是，在科学技术日新月异不断进步的同时，人类在精神层面的发展却有些步履蹒跚。

因此我期待，今后京都奖能够进一步促进人类科学技术与精神文明的协调发展，为构筑新的和谐世界做出应有的贡献。

培养年轻企业经营者——盛和塾的开设与发展

除此之外，我还打算对以培养年轻企业经营者为对象的企业经营培训学校——“盛和塾”倾注更多的心血。

我当年之所以要义务创办盛和塾的前身——盛友塾，其初衷完全是出自要向那些培养引导了我的京都的经营者报恩的强烈愿望。

1983年春天，以京都青年会议所的成员为中心的年轻企业经营者们向我提出了开设并主持一个企业经营学习班的要求。他们的理由是，希望能够借此向把京瓷这样一家小型作坊工厂创建成世界性大企业的我学习“实实在在的经营学”。

年轻时，我也曾经从周围人那里学到过许多与企业经营有关的知识。我的公司之所以能够发展壮大至今，与当年我从周围那些人那里得到的培养和指导密不可分。我对于他们的感激之情一刻也不曾消失过，因此心里一直就打算要作为报答，将自己在企业经营上的体验和知识传授给下一代。

并且我认为，鼓励和培养中小企业的经营者对日本经济的健全发展意义重大。中小企业雇佣了日本劳动力人口的 70%~80%，因此，这些能够影响到绝大多数员工幸福的企业经营者十分有必要提高心性，选择正确的企业经营方法。

正是基于以上这些理由，我应邀在当年 7 月创办了京都盛友塾。在最初举办的第一届学习班上，面对着来自京都的 25 名年轻企业经营者，我先做了大约一个半小时的演讲，然后再围绕演讲的主题，以答疑解惑的形式继续讲解。我之所以选择这种讲课方式是因为我不希望学习班成为一个我对学员单方面灌输的场所。由于我都是将自己亲身学到的东西加以传授，因此我希望能够以促膝长谈的形式与学员们直接交流。如果学员对我的想法有疑问或者异议，我们可以当场交换意见并讨论，我相信这种方式更加有助于加深学员对于企业经营的认识和理解。

后来学员们又提出，希望我将学习班固定下来定期举行。参加人数也源源不断，持续增加。最后由于报名人数实在太多，我担心无法进行有效的双向交流，因此规定每次参加学员不多于 50 人，并慢慢将学习班作为一个组织逐步完善起来。

在创办学习班 6 年之后，来自大阪的年轻经营者们向我提出，希望能够在大阪也举办类似的学习班，当时恰逢赛鲁拉公司的开业在即，我的日常工作异常繁忙，但是我又实在无法无视那些一心想要向我请教的年轻经营者的热切期待。

1988 年 12 月，学习班正式决定改名为“盛和塾”，并于第二年 4 月在大阪开设了支部。盛和塾这个名字取义为企业的隆“盛”和人德的“和”合，既符合我们当初办学习班的宗旨，也恰好与我名字中的两个字相同。

以大阪的盛和塾为契机，日本各地的年轻企业经营者们都希望能够在当地开设相同的学习班。1990 年首先是在神户，然后是在滋贺、鹿儿岛、富山、东京等五个地区都先后开设了盛和塾的分塾。到现在为止，盛和塾在日本国内有 48 个，在海外有两家分塾，学员总数达到了 2900 人，并频繁在日本各地定期召开例会。

因此我就不得不调整自己繁忙的日常工作日程，而且不取分文报酬，义务到各地参加例会。经常在结束一天繁忙的工作后，我还必须赶赴各地讲课，这对我而言，不管是精神上还是肉体上都是一个极大的负担。然而每当看到学员们全神贯注地倾听我的讲解，并获得重要的成果时，再苦再累我也觉得心满意足。

在盛和塾的学习班上，我都是针对从当天参加学习班的学员们那里收集汇总的具有普遍性的疑问，或者由学员代表提出的与企业经营有关的诸多问题发表自己的意见。也就是说，我是以一种经营问答的形式开班讲课，今后如果在时间上能够更加宽裕一些，我希望可以进一步地与学员展开一对一的商谈，给予他们更加直接的指导。

最后，我真心期盼所有盛和塾的学员都能够成长为合格的企业经营者，不仅让自己的企业发展壮大，并且最终能够让这些学员企业的员工们获得更加幸福的人生。

以体谅之心探讨国际关系——举办日美 21 世纪委员会

日本作为亚洲的一个小小岛国，尽管在第二次世界大战中遭受惨败，国土成为一片废墟，但是在“二战”后，却实现了高速发展，现在成为世界首屈一指的经济强国。这一切成就不仅归功于日本大众自身的辛勤努力，同样也要感谢美国在战后向日本提供的宽容仁慈的支援。

然而，从日本经济获得成功之日起，日本人心中渐渐升起骄慢，并发展为蔑视美国的一种风潮，从而导致了日美之间的关系不断出现裂纹。但是毋庸置疑，对于日本，对美关系是最重要的国家关系。

出于要让原本牢固的日美关系能够进一步得到良好发展的愿望，我创办了“日美 21 世纪委员会”。

这个委员会的目标是以人类共通的普遍伦理观和哲学为基础，针对日美关系的现状以及未来应有的正确架构进行探讨，并提供建议。以美国前总统乔治·布什和日本原内阁总理大臣宫泽喜一为首的、认同此委员会基本宗旨的日美两国相关人士作为委员参加了这个委员会。

乔治·布什和宫泽喜一担任了本委员会的名誉委员长。美国方面的委员长是由原美国劳工部长、曾担任过美国商务代表的威廉姆·布洛克（William E. Brock）担任。副委员长则是前美国国防部长哈罗德·布朗（Harold Brown）。日方委员长则是堺屋太一先生（日本著名学者，前日本经济企划厅长官，著有《成吉思汗》、《知价革命》等。——译者注），副委员长则是田中直毅先生（日本著名经济学家，曾经担任日本21世纪政策研究所所长和邮政改革首相咨询委员会主席等职务，与日本政界有着密切的关系。——译者注），包括其他成员在内的这个委员会从设立之初就展示了强大的阵容。

这个委员会虽然正式成立于1996年11月，其成立的渊源则要回溯到前一年的6月。当时我的友人，美国国际战略研究所（CSIS）所长戴维·阿布夏（David M. Abshire）来日本访问，我们俩就日美关系开诚布公地交换了意见，并最终达成了一致，那就是日美两国必须从全新的角度重新审视彼此的关系。

同年12月，我访问了华盛顿，在同阿布夏先生再次进行交流沟通后，决定要创办“日美21世纪委员会”。

在这里我想要引用这个委员会的创办宗旨原文，虽然内容比较长，但是希望以此能够让读者更加清晰地了解这个委员会的目标。

日美21世纪委员会成立宗旨（基本理念）

当今的日本复兴于第二次世界大战的废墟之上，现在成为世界最富裕的国家之一。日本之所以能够拥有今天的繁荣昌盛，既是源于日本国民的辛勤努力，同时也应该归功于世界其他国家对日本提供的大力支持，以及世界局势的相对稳定。尤其是在冷战这种特殊的国际状况之下，如果没有美国宽容与仁慈的援助，以及其对日开放的市场，那么就不会有日本经济今天的成就。

日美两国在二战之后，分享着自由与民主主义这样的共同价值观。在贸易、金融、科学技术等众多领域的相互依赖程度不断加深。日美两国之间的关系已经发展成为当今世界最重要的国与国的关系。然而随着日本对美贸易盈余的激增，以及两国经济摩擦的不断激化，日美关系也开始变得紧张起来。就美国而言，对日本封闭市场的不满日益增长，而日本则对美国过于强硬的态度，愤懑之情不断增长。在日美两国民间，反日、反美情绪持续蔓延，如果纵容这种状态持续下去，两国关系就有可能在未来发生破裂。

日本理所当然地应该在国际社会中充满自信，依据本国实力，担负起相应的任务和职责。而与此同时，日本的这类行动又绝对不能让其他国家感觉到丝毫独善其身或者傲慢无礼的态度。在国际舞台上，一个国家越是强大，就越应该采取宽容、谦虚、体贴的态度与世界其他各国和谐共存。

日本宪法的序言中明确提出，日本要在“国际社会中占有光荣的地位”，因此“任何国家都不得只顾本国，而不顾他国”。如果不能够尊重对方立场，只一味地维护本国利益，那就绝对不可能与其他国家构筑起相互信赖、相互尊敬的国家关系，也绝不可能将自身的经济繁荣不断维系下去。

依照这种认识，日本政府第三次临时行政改革推进审议会的“国际社会中的日本”研究小组于1991年制定了日本政府通过的《对外政策的基本理念》，体现了日本外交政策应遵循的基本原则。这个“基本理念”特别指出：“一个自由民主的社会，应该是对于任何人都能够宽容和开放，只要具备能力和意愿，所有人都有资格参与的社会。并且，也应该是一个基于公正的规则、实现社会正义、推动个人发展的社会。”“日本政府需要在认识到自身内政的各个方面都已受到国际社会广泛瞩目的前提下，推行符合国际普遍标准的、公正和透明的行政措施。日本不能再以自身的特殊国情为借口，置身于国际规则之外。”“在已经成功实现了经济繁荣的今天，日本应当基于博爱和人类大爱的精神，不惜自我牺牲，充分发挥自身以经济力为首的各种能力，为国际社会做出贡献。我们必须谨记，日本自古以来就有为了世间和他人倾力奉献的美德。”为了今后能够继续在国际社会中长兴不衰，每一个日本人都必须认真对待以上这些总结。

尽管美日之间在文化和价值观上存在着差异，但是人性的本质却没有区别。美国在传统上一贯宣扬

“爱”的重要，如“像爱自己一样爱自己的邻人”所体现的，美国大众从小就被教育对他人体贴关爱之心的重要价值。同样，日本传统上也非常重视“慈悲之念”，主张“好心有好报”，民众从小就被灌输舍己利他的重要性。日美两国人民原本就熟知只有通过体谅对方、和谐共生的途径才能建立一个美好的人类社会。然而问题在于，当前不管是两国政府，还是两国民众，都已经忘掉了“学会体谅对方”是作为人的最基本的伦理价值观之一，而完全陷于一种只为本国以及自身利益思考并采取行动的状态。

我们认为，一个以人的普遍伦理观和哲学为基础，能够针对日美关系的现状，以及未来正确模式进行探讨的纯民间性质的平台必不可少。基于这种判断，我们决定成立“日美21世纪委员会”。在这个委员会里，拥有良心和良知的日美双方代表，为了构筑理想的日美关系，围绕日美两国应该采取的行动这个主题进行开诚布公的讨论，并通过将双方讨论结果公示给全世界的方式，以期为日美两国，以及全世界的和平与繁荣做出贡献。

在这个委员会正式成立之后，许多人都质疑："众多以日美关系为主题的委员会早就已经存在了，现在又有什么必要另起炉灶，多此一举？"这种质疑也不无道理，现在确实有不少以日美关系为主题的相关组织，我也并不认为这些组织没有实现各自的目的和应尽的职责。

迄今为止，日美之间展开的各种沟通交涉多是以推脱自身责任和相互指责丑化对方为主流。然而，如果双方都纠结于各自的得失胜负，就无法进行有效的探讨，因此我才认为在探讨日美关系时，需要有一个能够采取与当前主流截然不同的态度，基于体谅对方的角度来进行共同探讨的平台。

这就好比即便彼此的历史和文化背景迥然不同，但是我们每一个人的本质都应该没有任何区别。不管是美国人还是日本人，对于体贴和仁爱都会给予同样的珍视。如果在个人层面上是这样的话，在国与国的交往层面，难道不同样也只有在怀有体谅对方之心，能够充分理解对方立场的基础上，相互探讨才能确保建设性的讨论吗？

针对我的这个见解，有人担心日本的传统、文化以及习惯有可能因此遭到扭曲。对于这个问题，我认为，如果日本需要在国际大家庭中继续生存下去的话，即便真的发生了这种事情，也是无可奈何的事情。日本现在已经成为当今世界的经济大国，不应只注重自身的喜恶，还必须拥有能够体谅对方的心态，具备在必要的时候甘于向对方做出让步的宽容。

已故作家司马辽太郎曾经对日本这个国家的终极未来产生过极大的忧虑。他针对何以让日本在这个世界永远生存下去的“国家形态”进行过缜密的思考。司马辽太郎最终得出的结论就是，日本必须成为一个“友善的国家”，如果全世界都认同日本是一个“友善的国家”，那么日本自然会受到世界所有国家的信赖和尊敬，如果能够做到这一点，那么即便日本没有任何军力，也没有必要为此感到担忧。

同理，我认为日本还应力争成为全世界的“慈善家”。过去的日本曾经有一些被称作“慈善家”的人，尽管他们没有任何职位和权力，却乐善好施，愿意去给那些虽然出身贫寒，但是天赋颇高的学童提供教育资助，或者为那些遇到困难需要帮助的人提供帮助。正是他们乐于助人的行为，让他们无论何时何地，都能够得到大众的信赖和拥戴。所以我主张日本在国际社会中，同样应该努力成为这样的“慈善家”。

以两年为最终期限的“日美 21 世纪委员会”要在日美两国之间各召开两次会议，今年（1998 年）5 月，在京都会议结束之后，这个委员会的活动正式宣告结束。

在这两年期间，与会者不仅围绕着日本应该如何与美国建立理想的双边关系展开了讨论，甚至还就资本主义的正确模式，以及做人的正确方式等主题展开了全面的讨论。

在最后的京都会议上，作为这两年工作的总结，委员会发表了《日美 21 世纪宣言》。

需要特别指出的是，1997 年 10 月，美方副委员长托马斯·费利（Thomas Stephen Foley）被任命为美国驻日大使，而日方委员速水优则在今年担任了日本银行总裁一职。他们二位都因此各自辞去了委员会的工作，转而担任了日美两国政府的重要职务。尽管在两国政府当中担任高职的两位都事务繁忙，但是他们依然特意从东京赶赴京都，共同出席了京都会议的最后闭幕式。

在闭幕式上，包括他们二位在内的日美双方成员都异口同声地表达了感谢之意。他们都表示从来没有经历过如此不凡的会议。由于是以“互谅之心”展开的探讨，日美双方成员在对双方与会人员真正实现了具有前瞻性和建设性的探讨而感到惊讶的同时，又为此感到欢欣鼓舞。大家都意识到，只要自身能够怀有“体谅之心”，那么对方的态度也自然会随之发生相同的转变。

像上面介绍的这种，基于“体谅之心”探讨国际关系完全是一种崭新的尝试，或许这种方式容易被称为理想主义，但是我今后依然要继续基于“善意”与“利他心”举办各种活动，并让全世界都能够认识到这样做的重要价值。

第三节　我的一些思考以及为人之道

抛弃了自律的日本人

在当前的日本社会，各类丑闻层出不穷。为什么日本会变成一个身居政界、官场、商界高位的高官大鳄们竟然敢公然徇私舞弊的国度？日本陷入这种状况的根源到底是什么？

对此我的回答是，因为在“二战”后将近半个世纪的时间里，日本人已经抛弃了自律，正是这样，包括各领域领导者在内的日本各个阶层的人才会变得自我本位，只愿依照自身利益和喜恶行事，并最终导致整个社会扭曲，各类丑闻频发不断。

自律是日本自古以来通过道德、伦理、宗教等传承下来的美德，在“二战”之前的日本，自律被视作修身养性的手段，在日本国民中得到了广泛的传播。然而不幸的是，“二战”后，日本不仅放弃了道德教育，众多国民的宗教信仰甚至都丧失殆尽。对于精神与宗教的否定和忽略甚至成为代表“近代化”与“科学”的时尚，并最终导致日本人丧失了作为一个人所本应具备的自律。

自律必须建立在人的普遍价值观之上，所以我们可以在曾拥有的道德、宗教伦理观念中寻觅到它的身影。此外，我们还可以在东方思想所谓的“ 天道”的范畴中确认它的存在。

尤其是那些组织的领导者，必须常怀自律观念，规范自身的行为。换而言之，领导者必须与中国的史书《后汉书》中所言的“伪”、“私”、“放”、“奢”，也就是欺诈、自私、放纵、骄奢这四个大患绝然无缘。

中国明末的官员吕新吾在他的著作《呻吟语》中写道，“深沉厚重是第一等资质，磊落豪雄是第二等资质，聪明才辩是第三等资质”。

也就是说，能够深思熟虑地确立自身哲学观，并以此规范自己人生的人是第一等资质的人，不拘琐事豪放磊落的人次之，而那些辩才超群者则只能算作第三等资质的人。

然而放眼当今日本，我们看到的恰恰与吕新吾的看法截然相反。在当今日本社会，往往是那些头脑清晰、能言善辩的人被选为领导者，并且在“二战”之后，基本上所有组织的领导者都是那些才华横溢，能够立刻创造成果的人来担任。

可是与此同时，这些能力超群的领导者却并不都拥有作为一个人所应具备的基本伦理道德观。只要看一看近些年来，那些轰动日本媒体的政、官、商各界的丑闻就能够发现，那些因为聪明才辩而身居高位的人其实都只不过是吕新吾所说的“第三等资质的人”。我认为在选拔领导时，不应该以才能，而是应该以他是否能够做出符合人间正道的判断来作为标准。

也就是说，我们不应选择那些以自身才干自负、以自我利益优先、以个人喜恶为追求的人，而必须选择那些甘于为了组织和集体牺牲自我的人。

因此作为领导者，就必须戒骄奢、任性、自满等恶习，要让自己的心中充满体谅他人的美好意愿。为了做到这点，我们也就必须严于律己，超越一家企业或者一个人的利害得失，在心中确立能够得到所有人认同的正确的判断标准。建立这样一种标准并不是什么困难的事情，就如前面已经提到过的，其实都是诸如公正、公平、正义、努力、勇气、博爱、谦虚等这些我们大家都早已熟知的、最朴素基本的东西。

我相信，老老实实地真挚遵循上述这些词语所代表的人生态度，才正是今天日本各界领导者所真正应该追求的目标。

探寻心灵—— 路人与虎

每当看到那些丧失自律心、最终因为丑闻而堕落沉沦人士的身影，我在感叹兴盛荣衰是世间常态的同时，又重新对人生展开了思索。有许多毕业于一流大学、就职于一流公司、最终顺利登上权力顶峰的精英，到最后却又从光芒耀眼的宝座上跌落下来，沉沦到无尽深渊之中。对于人生的这种变幻无常，佛祖释迦牟尼是用下面这个寓言来进行说明的。

在一个树木凋零的深秋黄昏，一名路人正匆忙走在回家的路上。在夜色渐浓的薄暮之中，道路两旁星星点点地散落着一些白色的东西。路人有些好奇地想要知道那些白色的东西究竟是什么，但是因为寒气渐增，必须尽早回到家，因此他并没有驻足仔细打量，而是加快了回家的步伐。可是路边的那些白色东西越来越多，最后路人在好奇心的驱使下停下来看了看，原来都是一些白骨，而且都是人的骸骨。

正当这名路人一边赶路，一边百思不得其解地想着"为什么这一带会散落着这么多的人骨"时，一只凶猛的饿虎咆哮着从路边向路人直扑而来。

"原来刚才那些人骨都是被老虎吃掉的赶路人的骸骨！"

这名路人于是掉头拼命奔逃，跑着跑着却突然发现前方横亘着一道万丈悬崖。路人惊慌地探头往下一看，悬崖下面是波涛汹涌的大海。可是前无逃路，后又有恶虎凶猛追来，就在这千钧一发之际，他看到断崖边缘长着一棵松树，于是爬上了树，然而问题是，老虎也同样会爬树，它用爪子抓住树干一步一步地跟在路人后面往上爬。

“天绝我也！”

正当路人感到绝望之时，他发现边上一棵松树的枝干上居然垂着一根藤蔓。于是路人毫不犹豫地立刻就爬过去，抓住了那条藤蔓，整个身体都悬在了半空当中。如此一来，已经爬到松树上的老虎就够不着路人。然而，由于这是一头饿虎，它依旧不肯就此罢休，继续爬在树上，紧盯着悬吊在藤蔓上的路人，久久不肯离去。

“谢天谢地，好歹先保住了性命。”

就在路人感到庆幸时，却听到松树上面传来奇怪的声音，抬头一看，他才发现，原来是一只白色老鼠和一只黑色老鼠正在上面交替啃食着路人吊着的这条藤蔓。

“这下完了，藤蔓就要被老鼠给啃断了！”

刚才还仅仅只是恐惧饿虎袭击的路人，这时转而又开始担忧起黑白二鼠咬断他所吊着的藤蔓。路人惊慌失措地低头再往下一看，在汹涌澎湃的海浪中，更有红、青、黑三条恶龙正张着血盆大口等着他掉下来。

于是路人开始拼命摇动藤蔓，指望着能够借此方法将老鼠驱散，可是正当他摇着藤蔓时，感到有什么东西掉到了他的口中。

“真甜！”

原来是蜂蜜，路人抬头仔细一看，在藤蔓的顶端有一个巨大的蜂巢，当路人抖动树藤时，蜂巢也随之抖动，结果蜂蜜从蜂巢里面慢慢渗漏出来。这对于路人是个意外惊喜，他为了能够吃到更多甘甜可口的蜂蜜，不顾藤蔓断裂的危险，加大幅度摇动起来，然后就专心致志地舔食那些掉下来的蜂蜜。

这个寓言出自《佛说譬喻经》。释迦牟尼佛祖在这个故事中正是把我们世间众人比作了那个“路人”。“深秋的黄昏”比喻的是在这个世界里，我们独自出生又独自死去，度过的是严酷而又寂寞的人生。在人的一生当中，病和死都不可避免，因此袭扰我们的病魔与死亡正是那只“饿虎”，而悬崖绝壁上长着的那颗松树则代表“财产、地位和名誉”。

即便我们想尽办法，指望通过财产、地位、名誉来获得拯救，可是“饿虎”——病痛与死亡依然会如期而至。因此财产、地位、名誉这些东西与我们拥有一个完美的人生没有必然的联系，最终我们能够依赖的，似乎也只有那条藤蔓，也就是我们的身体。

相互交替啃食给我们带来最后一缕希望的藤蔓的“黑白两只老鼠”则代表着黑夜和白昼。昼夜总是不断轮回交替，时间也一路流逝。人的生命就像这样一天一天朝着死亡慢慢逼近，尽管我们出于对死亡的恐惧，想方设法要逃脱病魔的毒手，即便用尽一切养生的良方妙药，人生终究有限，死亡是最终谁也无法避免的事情。

然而不可理喻的是，即便我们内心明白这个道理，仍然会被甘甜美味的“蜂蜜”诱惑，完全忘记了死亡的悄然临近。人正是这样，就算正面临着充满无常的人生变换，依然甘愿沉迷于那些瞬间的快乐。

在这个寓言中，漂浮在怒涛中的红青黑三条恶龙则代表着我们自心的具体体现。红龙代表的是愤怒，青龙代表着欲望，黑龙则代表着愚痴，这就是佛教中所谓的三毒。像这样的一种内心，自然而然地会延伸出一个充满恐怖景象的世界，让我们不仅在此生，乃至到来生都依然会度过一个充满苦难和绝望的人生。

释迦牟尼佛祖通过这个寓言告诉我们：人生原本就充斥着无常，我们在这个世界里完全是在独生独死。这样一个四大皆空的人生，实际上也完全是我们自心的反映，如果我们能够不为自心所造的愤怒、欲望、嫉妒、仇恨、愚痴胁迫，提高自心的境界，那么那三条恐怖的恶龙就会消失得无影无踪，我们会惊讶于自己身下的大海已经变得风平浪静、碧波万顷，这样我们才能够真正做到无所恐惧地度过自己的一生。

奉行六项精进

为了实现这个目标，我将人生中应该予以留意的几个要点归纳为"六项精进"，并在日常生活中努力付诸实践。我相信，如果我们能够真挚地对待这六项精进，磨砺灵魂，就必将会拥有一个精彩的人生。

（一）付出不亚于任何人的努力

首先，必须坚持“付出不亚于任何人的努力”。

这点是一切的基础。一个无法做到兢兢业业、勤奋进取、不落人后的人是没有资格来谈论人生和命运这个话题的。

“付出不亚于任何人的努力”是指在任何层次上都应付出自己全部的努力。也就是说，我们应该全神贯注地对待自己的工作，全力以赴地度过自己的人生。这种态度就宛如修行者的苦行一般。

在经历过这种毅然决然的付出之后，我们的灵魂必然会得到净化。

（二）要谦虚，不要骄傲

尽管我们都听说过“谦受益”这句话，但是这句话又与我们这个世间所信奉的一般理念有所抵触。通常我们往往会觉得成功者都是些傲慢不逊、胆大妄为之人。这是因为那些敢于损人利己的人似乎更容易获得成功。

然而事实却并非如此。这类人即便能获得一时的成功，最终的结局也是走向衰败。与之相反，那些能够内敛自身激情、永远保持谦虚诚实的人则必将得到上天的青睐，获得辉煌的成就。

因此借助“谦虚谨慎”的人生态度，我们的灵魂自然会得到净化。

（三）要天天反省（禁戒利己之心与行为）

每天都进行自我反省，审视自己的行为是否出自利己之心。

我们必须时刻检点自身行为和意念，留心自己是否陷入了只顾一己之利的自私心态，如果发觉有任何这种倾向，就应立即警醒，全力摒除。

每当一天将要结束时，都要回过头想一想，自己今天是否有过任何“自私自利的行为”、“卑劣不当的行为”，并通过这样的方式来渐进地磨砺自己的灵魂。

（四）活着，就要感谢（幸福的感觉生于“知足”之心）

每时每刻都应对生活心存感谢。

我们每个人常常都会心生不满足之感，正是因为这样，我们的心中才会充满不平和愤恨。这些不平和愤恨都来自于我们自身的欲望。如果我们对自己的无边欲望无法足够认清的话，我们就永远无法获得满足。

我们当下需要做的就是能够让自己感到“知足”。只有当我们怀揣“知足之心”，认识到“现在我们拥有的一切已经足够”时，才能够真正体会到幸福的感觉。并对于自己能够生活在这个世间充满感谢之情。

如果我们在生活中能够谨记“吾唯知足（最早出现在中国汉朝的古钱币上，利用了方孔钱中间的那个方孔作“口”字偏旁，上、下、左、右共用一个“口”字，也可念成“唯吾知足”，所以后人又称它为“借口钱”。——编者注）”，对任何细微之事都心存感谢，那么同样能够让自己的灵魂得到净化。

（五）积善行、思利他

自古就有“积善之家，必有余庆，积不善之家，必有余殃”的说法。

凡是能够世代积德行善之家，其子孙必然都会因此得到好报，而做多了缺德事情的人，其子孙也必然遭受恶报。

之所以如此，是因果报应在发生作用。任何结果，都必然有其原因。因此我们在生活中必须注意行善行，为将来积累善因。

通过坚持不懈地积累各种善行，我们的人格也自然会得到提高和升华。这种人生态度完全符合“为了社会和大众的利益倾力奉献”的原则，属于为人处世最重要的利他行为。

（六）不要有感性的烦恼

我们不能因为生活于这个世间，并且由于自身肉体的存在而产生的感性知觉所带来的烦恼而困惑。

换句话说，我们不能让日常琐事来烦扰自心，让心灵陷入一种不正常的状态。

在现实生活当中，我们当然会遭遇无数让我们感到头痛、陷入迷惘的事情。即便我们为这些烦扰感到困惑，也无济于事。与其如此，我们不如力行上述六项精进。通过这样的努力，我们必然能够磨砺灵魂，提高心性，为自己打开命运之门。

每时每刻都追求灵魂的净化

关于这一点，前面已经提到过的白隐禅师在《坐禅和赞》中是这样吟诵的：

众生本来佛，恰如水与冰。
离水则无冰，众生外无佛。
对面不相识，却向远方求。
譬如水中居，却说渴难耐。

这首偈子的意思是，我们凡人本来是佛，这就犹如水和冰的关系一样，没有水就不可能有冰，离开了人也就不会有佛的存在。可是在我们凡人眼中，佛是离我们很遥远的存在，因此总是倾向于向外界去寻求佛性，这就好比我们身处水中，却在抱怨口渴一般。

归根结底，其实我们这些迷途“众生”原本就是尚未开悟的“佛”。尽管我们现在深陷迷惑之中，远离了自性，但是一旦发现真相，就必然能够开悟得道。

那么我们又该怎样让自己开悟呢？白隐禅师对此是这样说的：

六道轮回因，只缘愚痴暗。

漫漫长夜路，何时了生死。

“六道轮回”指我们凡人不断地在地狱、饿鬼、畜生、修罗、人间、天人六个世界里投胎转世。同时还隐喻了我们平时由于事业生活的起伏不定而在心中一喜一忧、犹疑不定的情形。而这种心态又进一步导致了“只缘愚痴暗”，也就是说我们自己都在不知不觉中，自身的愚痴与愦懑，导致了自己多舛的命运。

在这个世界，总有些人爱自怨自怜，只会哀叹“自己的人生充满挫折，实在是倒霉透顶”。但是白隐禅师告诉我们，这些所谓的不幸命运其实都是我们自身造成的。也就是说，我们的命运是自己内心在现实世界中的一种映射。那些只会怨声载道的人，映射出的正是自己阴暗的心，如此一来，我们的命运自然也就会充满阴霾。

然而我们绝对不能永远像这样走上一条“漫漫长夜路”。也就是我们不能任由自己不断重复自身愚痴，让命运永远沉沦，而必须像“何时了生死”这句所说的那样，早日从痴迷不悟中解脱出来。

那么，如何才能够实现这个目标呢？白隐禅师接下来说道：

摩诃大禅定，赞叹无有尽。

六度波罗蜜，念佛忏悔行。

诸多善行谊，悉皆归其中。

静心一禅定，能灭无量罪。

免落诸恶趣，净土即不远。

真心修禅是一件无上之行，并且需要依靠布施和持戒等各种各样的六度波罗蜜（六度波罗蜜是指佛教修行开悟的六种方法。分别为布施、持戒、忍辱、精进、禅定、般若。——编者注）方法来实践。这里所说的“布施”就是指“利他”，也即对于所有人的善意与体贴之心，接下来的“持戒”是指严守不可触犯的戒律，时时进行自我反省。

总而言之，在平日里如果能够坚持守戒、念佛、忏悔、修行，那么普通生活本身同样犹如修行禅定。通过这样的方式，如“静心一禅定，能灭无量罪”这句开示所说的，即便是那些成功人士同样能够消尽过去曾经犯下的诸多罪业，获得幸福。所以说，极乐净土其实离我们并不遥远。

白隐禅师继续说道：

幸蒙此法要，一旦触及耳。
赞叹随喜者，即得福无量。
设若自回向，直证自本性。
自性即无性，远离诸戏论。

这里所说的“法要”是指佛经，那些初次听闻佛经便能充满喜悦幸福之感，乃至涕泪满面的人，必定能够获得无量福报。如果我们能够做到不向外界寻求佛性，而将目光转向自身进行自省，努力寻求真实自我的话，那么真我即可化为无性，从而超越世俗理论，顿悟宇宙的真理。

对于这样的一种开悟，白隐禅师喝破道：

处处皆净土，此身即是佛。

只要我们能够证得自性，那么当下此处就是极乐净土，我们也立刻就能即身成佛。

每一个人都寄希望于能够获得幸福的人生。所有人都同样企盼能够拥有心灵的安宁。当我们的心处于真正的安宁状态时，内心必然不再会有任何烦恼和嘈杂，充盈着幸福感，并且拥有纯粹澄明的意识状态。这样一种无与伦比的境界，佛教称为“开悟”，静坐参禅时，则称为“到达真我之境”。

为了获得这种境界，人们会选择冥想或者参禅。但是我们凡人又常常不得不受生活和工作中的诸多琐碎杂事烦扰，很难有机会专心致志地进行冥想和参禅。

我相信，要想获得心里的安宁，并非只有通过全身心地投入到宗教修行中才能获得。如果我们能够以和修行相同的态度，专心致志、一心一意地埋头于日常工作，也同样能够获得相同的境界。当我们在日常生活中，全神贯注地将所有精力和心血倾注到工作中时，这种状态不也与宗教信徒们的精神修行异曲同工吗？

今后，我会基于这种认识，继续在平日工作中不断精进，努力让自己的灵魂得到净化，不断升华。

结　语

回顾我的一生，与共同创业的伙伴们歃血为盟，以一份按着众人血指印的、注明“大家要精诚团结，为了社会与大众的利益共同奋斗”的誓约书为原点，创建了京瓷。

自那时起，我以“追求全体员工获得物质和精神两方面幸福的同时，要为人类和社会进步发展做出贡献”的理念，经营管理京瓷至今。

并且我是在不断自我确认了自己的“动机是为公还是为私”之后再创办了 DDI。

同时又是因为坚信“为了世间与人类倾力奉献是一个人所应做的最高尚的行为”的理念，设立了稻盛财团。

以上所有这一切行为都是我赤诚无欺的真心表现。

我个人并非什么圣人君子，我也非常清楚，稍有不慎，自己也同样可能会陷入“利己”泥沼，成为一个满心烦恼的凡夫俗子。然而正是因为如此，我才要以“利他”之心为准则，倾尽所能，日夜精进。

我当年在从大学毕业，走入社会后，首先是作为一名技术人员埋头于新型陶瓷材料的研究开发工作中。之后我创办了自己的公司，无时无刻不投身于企业的经营活动之中。时至今日，在度过了65岁生日之后的现在，我又打算在另一个崭新的天地里开始自己新的旅程。我希望在接下来的路途上，能够继续深化自己的哲学和人生，为了世间与他人，尝试更新的挑战。

与此同时，在未来人生的新旅程中，我依然会全力贯彻遵循人间之正道。

因此可以说，在我的一生当中，不管是过去，还是未来，我都会做到，一路走来，始终如一。

图书在版编目（CIP）数据

活法. 肆, 人生与经营的法则：小开本 / (日) 稻盛和夫 著；喻海翔 译. — 北京：东方出版社，2019.2
ISBN 978-7-5207-0635-3

Ⅰ. ①活… Ⅱ. ①稻… ②喻… Ⅲ. ①人生哲学—通俗读物 Ⅳ. ①B821-49

中国版本图书馆CIP数据核字（2018）第243397号

活法肆：人生与经营的法则（小开本）
（HUOFA SI: RENSHENG YU JINGYING DE FAZE）

作　　者：［日］稻盛和夫
译　　者：喻海翔
审　　校：曹岫云
责任编辑：贺　方
出　　版：东方出版社
发　　行：人民东方出版传媒有限公司
地　　址：北京市东城区东四十条113号
邮　　编：100007
印　　刷：鸿博昊天科技有限公司
版　　次：2019年2月第1版
印　　次：2019年2月第1次印刷
印　　数：1—10 000册
开　　本：787毫米 × 1092毫米 1/32
印　　张：6.875
字　　数：96千字
书　　号：ISBN 978-7-5207-0635-3
定　　价：48.00元
发行电话：（010）85924663　85924644　85924641

稻盛和夫的实学（小开本精装）

稻盛和夫的实学

经典珍藏版（全5册）

稻盛和夫的实学

经营与会计（小开本）

稻盛和夫的实学

创造高收益（小开本）

稻盛和夫的实学

活用人才（小开本）

稻盛和夫的实学

经营三十四问（小开本）

稻盛和夫的实学

阿米巴模式（小开本）